CRÉATURES
FANTASTIQUES
DU QUÉBEC

Des mêmes auteurs, aux Éditions les Intouchables
Amos Daragon, Al-Qatrum, hors-série, 2004.

Autres romans de Bryan Perro
Dans la série Amos Daragon, aux Éditions les Intouchables
1. *Amos Daragon, porteur de masques*, roman, 2003.
2. *Amos Daragon, la clef de Braha*, roman, 2003.
3. *Amos Daragon, le crépuscule des dieux*, roman, 2003.
4. *Amos Daragon, la malédiction de Freyja*, roman, 2003.
5. *Amos Daragon, la tour d'El-Bab*, roman, 2003.
6. *Amos Daragon, la colère d'Enki*, roman, 2004.
7. *Amos Daragon, voyage aux Enfers*, roman, 2004.
8. *Amos Daragon, la cité de Pégase*, roman, 2005.
9. *Amos Daragon, la toison d'or*, roman, 2005.
10. *Amos Daragon, la grande croisade*, roman, 2005.
11. *Amos Daragon, le masque de l'ether*, roman, 2006.
12. *Amos Daragon, la fin des dieux*, roman, 2006.

En collaboration avec Zoran Vanjaka
1. *Amos Daragon, porteur de masques*, manga, 2005.

En collaboration avec Nicolas Journoud
2. *Amos Daragon, la clef de Braha*, manga, 2007.

Romans pour adultes, Éditions les Intouchables
Pourquoi j'ai tué mon père, roman, 2002.
Marmotte, roman, réédition, 2002, première édition, 1998, Éditions des Glanures.
Mon frère de la planète des fruits, roman, 2001.

Autre parution d'Alexandre Girard
Les Contes de l'ours, racontés par Nicole Filiatrault, illustré par Alexandre Girard, aux Éditions Planète rebelle.

Bryan PERRO - Alexandre GIRARD

CRÉATURES
FANTASTIQUES
DU QUÉBEC

TRÉCARRÉ
QUEBECOR MEDIA

Catalogage avant publication de Bibliothèque et Archives nationales
du Québec et Bibliothèque et Archives Canada

Perro, Bryan
    Créatures fantastiques du Québec
    ISBN 978-2-89568-365-0
    1. Légendes - Québec (Province). 2. Canadiens français - Folklore. 3. Animaux fabuleux - Folklore.
I. Titre.
GR113.5.Q8P47 2007   398.209714'01   C2007-941892-9

Remerciements

Les Éditions du Trécarré reconnaissent l'aide financière du gouvernement du Canada par l'entremise
du Programme d'aide au développement de l'industrie de l'édition (PADIÉ) pour ses activités d'édition.
Nous remercions le Conseil des Arts du Canada et la Société de développement des entreprises cultu-
relles du Québec (SODEC) du soutien accordé à notre programme de publication. Gouvernement du
Québec – Programme de crédit d'impôt pour l'édition de livres – gestion SODEC.

Éditeur : Martin Balthazar
Coordination : Pascale Jeanpierre
Couverture, illustrations, infographie et mise en pages : Alexandre Girard
Révision : Carole Mills
Correction d'épreuves : Nadine Tremblay

© Éditions du Trécarré, 2007

Dépôt légal – Bibliothèque et Archives nationales du Québec
et Bibliothèque et Archives Canada, 2007

ISBN : 978-2-89568-365-0

Éditions du Trécarré
Groupe Librex inc.
La Tourelle
1055, boul. René-Lévesque Est
Bureau 800
Montréal (Québec) H2L 4S5
Tél. : 514 849-5259
Téléc. : 514 849-1388

Diffusion au Canada
Messageries ADP
2315, rue de la Province
Longueuil (Québec) J4G 1G4
Téléphone : 450 640-1234
Sans frais : 1 800 771-3022

Diffusion hors Canada
Interforum

« Tout ce qui peut être imaginé est réel. »
Pablo Picasso

TABLE DES MATIÈRES

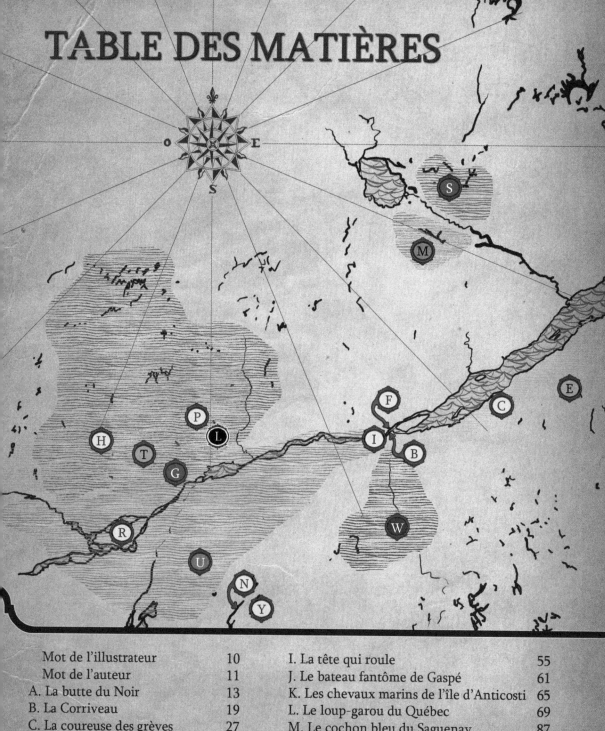

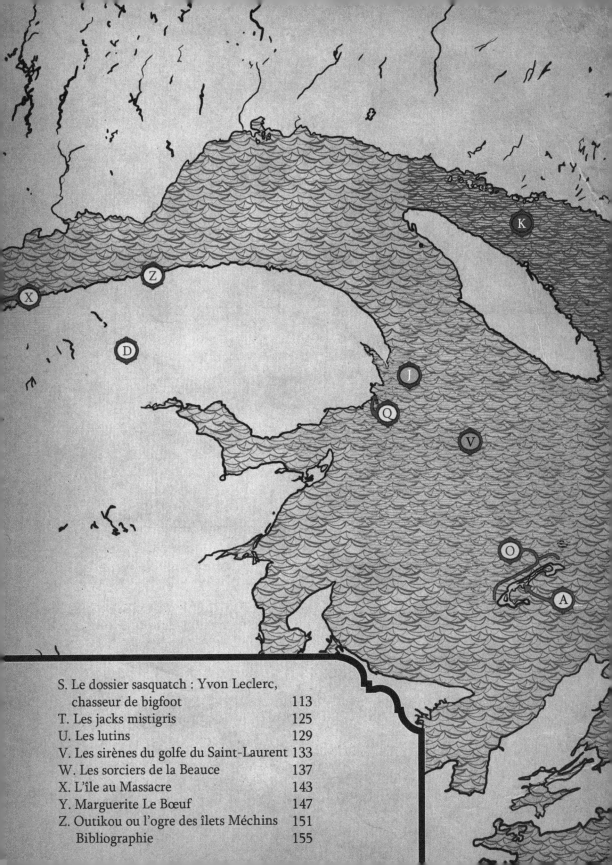

MOT DE L'ILLUSTRATEUR

C'est toujours un honneur et un réel plaisir d'épicer d'agréments visuels les écrits de Bryan. D'autant plus que le présent sujet, les créatures mythiques québécoises, m'intéresse fortement. Il fut passionnant de constater l'influence de l'imaginaire amérindien sur celui des colons catholiques de la Nouvelle-France.

Pour illustrer ces écrits, j'ai fait beaucoup de recherches et tenté d'appréhender ma tâche de façon à compléter le contenu plutôt que de le répéter visuellement. Mon but était d'agrémenter le texte à l'aide de mots, d'images et de dessins afin d'éveiller votre intérêt. Appropriez-vous ces histoires, et si cela suscite en vous le goût d'y ajouter les vôtres, il est possible de le faire sur le site www.creaturesfantastiques.com !

En espérant que vous éprouverez le même plaisir à la lecture de cet ouvrage que j'ai eu en travaillant sur ce projet, je vous souhaite bonne découverte !

Alexandre Girard

ATTENTION CE LIVRE PEUT ÊTRE À L'ENVERS ATTENTION

MOT DE L'AUTEUR

Depuis que je m'intéresse aux contes et aux légendes, à l'imaginaire populaire des peuples et aux symboles qui s'y rattachent, j'ai lentement pris conscience de la richesse mythologique du Québec. Certes, nous connaissons les créatures de la Grèce antique, les dragons du Moyen Âge et les grandes aventures de l'Ouest américain, mais qu'en est-il de notre propre culture ?

Avec ce recueil, je souhaite faire connaître certaines créatures extraordinaires qui peuplent notre coin de Terre. De nombreux monstres foisonnent dans toutes les régions du Québec, et en dresser un inventaire signifiant ne fut pas une mince tâche. C'est donc avec la volonté d'offrir un éventail représentatif de l'imaginaire québécois que j'ai rédigé cet ouvrage, et j'espère que vous y plongerez avec plaisir et curiosité.

Je lève mon chapeau à l'illustrateur Alexandre Girard, un collaborateur qui sait parfaitement mettre en lumière mon imaginaire, afin d'ajouter plus de saveur à mes récits.

Bon voyage dans la mythologie québécoise !

Bryan Perro

Lagune du
Havre-aux-Maisons

Cap Rouge

Dune
du Sud

Cap Noir

Île du
Havre-aux-Maisons

O

S

E

E

Îles de la
Madeleine

LA BUTTE DU NOIR

Les habitants de l'île du Havre-aux-Maisons, dans l'archipel des îles de la Madeleine, ont un jour découvert le cadavre d'un étranger de race noire échoué sur l'une des grandes plages qui bordent leur terre. Le mort avait l'allure d'un sorcier africain. Outre des tatouages, son corps arborait de nombreuses scarifications. On crut d'abord qu'il s'agissait d'un esclave échappé des États-Unis, mais les pêcheurs les plus vieux s'accordèrent pour dire que, sans l'ombre d'un doute, c'était un sorcier vaudou venu des grandes îles du Sud. Quant au curé, il déclara officiellement, après s'être signé, que cet homme était en fait un démon.

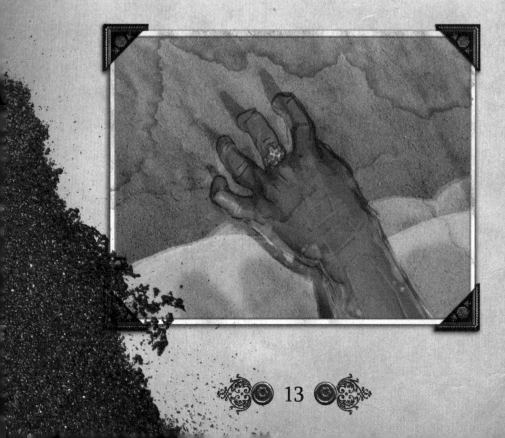

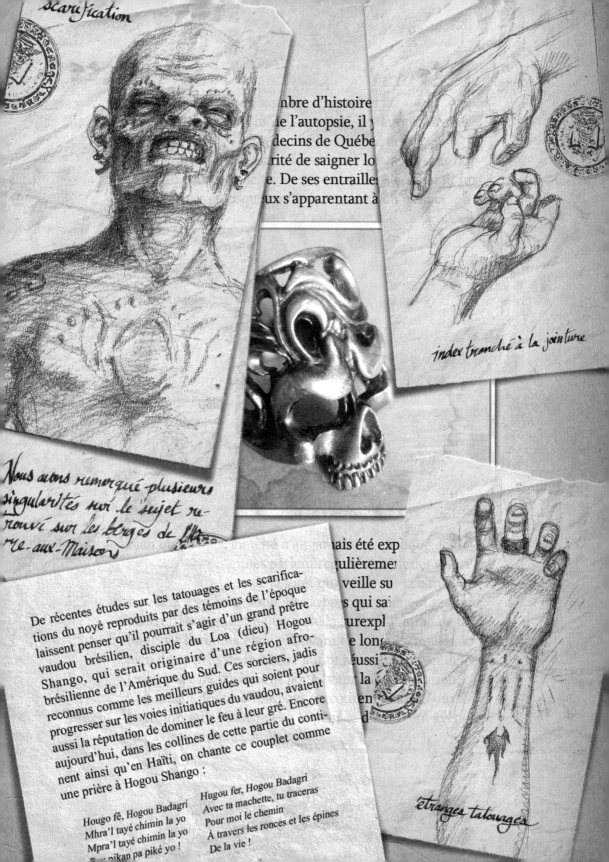

scarification

...nbre d'histoire...
...le l'autopsie, il y...
...decins de Québe...
...rité de saigner lo...
...e. De ses entrailles...
...ux s'apparentent à...

index tranché à la jointure

Nous avons remarqué plusieurs singularités sur le sujet re-rouvé sur les berges de l'...-aux-Maisons

...ne...n'a jamais été exp...
...ulièrem...
...veille su...
...s qui sa...
...urexpl...
...e long...
...éussi...
...la...
...n...

De récentes études sur les tatouages et les scarifica-tions du noyé reproduits par des témoins de l'époque laissent penser qu'il pourrait s'agir d'un grand prêtre vaudou brésilien, disciple du Loa (dieu) Hogou Shango, qui serait originaire d'une région afro-brésilienne de l'Amérique du Sud. Ces sorciers, jadis reconnus comme les meilleurs guides qui soient pour progresser sur les voies initiatiques du vaudou, avaient aussi la réputation de dominer le feu à leur gré. Encore aujourd'hui, dans les collines de cette partie du conti-nent ainsi qu'en Haïti, on chante ce couplet comme une prière à Hogou Shango :

Hougo fê, Hogou Badagri
Mhra'l tayé chimin la yo
Mpra'l tayé chimin la yo
...pikan pa piké yo !

Hugou fer, Hogou Badagri
Avec ta machette, tu traceras
Pour moi le chemin
À travers les ronces et les épines
De la vie !

étranges tatouages

En fin de compte, les pêcheurs décidèrent d'offrir au malheureux, vraisemblablement mort par noyade, une sépulture décente sur une colline non loin de la côte. Après avoir pris soin de le recouvrir d'une butte de terre compactée capable de résister aux intempéries, ils prononcèrent quelques mots en guise d'oraison puis retournèrent à leurs activités. Deux semaines après les funérailles, alors que cette histoire de noyé était déjà presque oubliée, la dénommée « butte du Noir » s'enflamma...

L'étrange phénomène se reproduisit quotidiennement pendant trois ans. Tous les soirs entre minuit et une heure du matin, été comme hiver, la butte s'embrasait subitement et brûlait jusqu'aux petites heures du jour. En effet, sans qu'on sache pourquoi, le sol autour de la sépulture commençait par devenir chaud comme un volcan, puis la butte s'enflammait soudainement. Des scientifiques avancèrent une explication : il s'agissait sans doute d'une source de gaz naturel qu'on avait touchée en enterrant le cadavre. Mais personne ne crut à cette hypothèse. Devant un tel mystère, il ne restait qu'à déterrer le noyé pour voir ce qu'il était advenu de lui.

Quelle ne fut pas la surprise des pêcheurs lorsqu'ils constatèrent que le corps du naufragé recueilli sur la plage ne s'était nullement dégradé ! Au contraire, il était exactement dans le même état qu'au jour de sa découverte. Chose extraordinaire, sa peau était toujours aussi souple et aucun asticot ne s'était attaqué à lui. Dans l'esprit des Madelinots, il était devenu clair que le curé avait eu raison de croire qu'il s'agissait d'un démon. Seulement, désormais, le cadavre était une menace pour la paroisse, d'autant plus qu'on ne connaissait pas l'étendue de ses pouvoirs surnaturels.

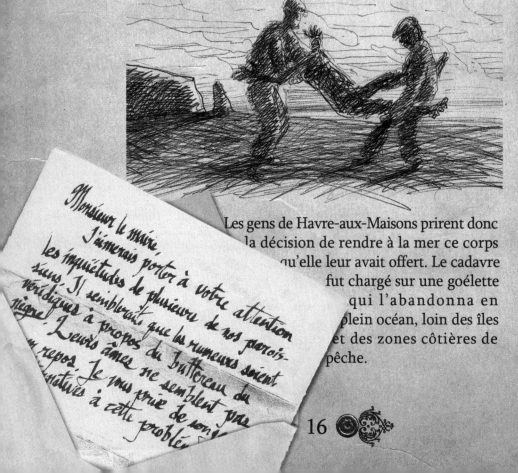

Les gens de Havre-aux-Maisons prirent donc la décision de rendre à la mer ce corps qu'elle leur avait offert. Le cadavre fut chargé sur une goélette qui l'abandonna en plein océan, loin des îles et des zones côtières de pêche.

Monsieur le maire,

J'aimerais porter à votre attention les inquiétudes de plusieurs de nos paroissiens. Il semblerait que les rumeurs soient véridiques à propos du butiereau du nègre. Leurs âmes ne semblent pas au repos. Je vous prie de songer à des initiatives à cette problé...

La butte du Noir, que les Madelinots appellent le
« buttereau du Nègre », continue pourtant à faire parler
d'elle. Bien que le trou ayant contenu le corps du noyé ait
été rempli de pierres puis recouvert d'une épaisse couche
de terre, on dit que son influence se fait encore sentir.
Ainsi, il n'est pas rare que les automobiles, lorsqu'elles
passent à proximité de ce lieu – la butte se trouve tout
près de la route menant à l'île du Cap-aux-Meules –,
subissent des avaries mécaniques. Quant aux animaux
(chiens, chats, goélands ou chevaux), jamais ils ne s'en ap-
prochent. Car chacun sait bien qu'ils perçoivent mieux
que les humains les pouvoirs maléfiques toujours inexpli-
qués de cet endroit maudit.

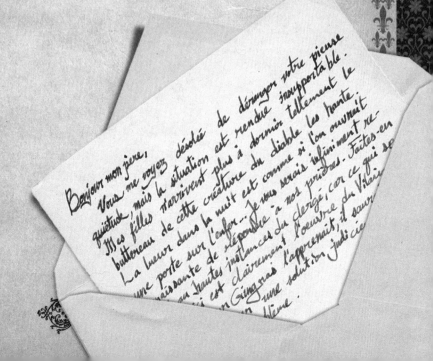

Charlesbourg

Beauport

Fleuve Saint-Laurent

Québec

Lévis

Sillery

S

Lévis

LA CORRIVEAU

En 1763, Marie-Josephte Corriveau, affublée du patronyme de « la Corriveau », fut emprisonnée après le décès de son septième mari. Ses six précédents époux étant tous décédés de mort violente, la femme fut jugée coupable de ces meurtres et condamnée à être pendue. Afin que tous les habitants puissent la voir, on plaça, après la pendaison, la dépouille de la meurtrière dans une cage de fer que l'on suspendit à un arbre de la côte de Lévis. Exactement sept jours plus tard – un pour chacun de ses époux –, le corps de la Corriveau disparut de son nichoir et jamais on ne le retrouva.

Lors de son procès, on avait appris de la bouche même de la coupable qu'elle avait assassiné son premier mari en lui faisant d'abord ingurgiter un poison. Une fois sa victime affaiblie par le breuvage, la Corriveau en aurait profité pour lui placer sur le visage un oreiller sur lequel elle s'était assise de tout son poids. Le pauvre homme serait mort par suffocation.

Son deuxième mari, un alcoolique notoire qu'elle n'avait épousé que pour qu'il subvienne à ses besoins, ne se serait jamais réveillé de sa sieste alors qu'il cuvait son vin. La Corriveau avait avoué s'être servie d'une grande corde avec un nœud coulant ; nœud qu'elle avait glissé autour du cou de son époux. Ayant ensuite jeté l'autre bout de la corde par la fenêtre, elle l'avait attachée à un cheval qu'elle avait effrayé afin de le faire déguerpir. La secousse avait été fatale.

Son troisième mari, un homme riche qui avait une passion débordante pour les chevaux, faisait souvent boire à ses bêtes du « vert de Paris ». Cette concoction, excellente pour les animaux mais fatale aux humains, redonnait de la vigueur aux juments et aux étalons malades. Son mari souffrant d'un léger rhume, la Corriveau avoua le plus simplement du monde avoir fait une tisane au gingembre et au « vert de Paris » pour le soigner. Celui-ci ne se serait jamais remis du « remède ».

Le quatrième époux, un for____ de cuillères a____ lant qui _____ __ _pagnie des j___ f_____ ___ ses tournées ___ vill__ na___ reçut une fu____ _____ v___ femme. Un a_____ __sait sieste, la Corriveau _____ _____ant dan_ __ _____ voyage, dénicha de l'étain. Elle fit c_auffer le ___ __ ta___t si bien qu'elle put ensuite vider le liquide en ____ ___ l'oreille du mari infidèle. Le Casanova ____ _ dans d'hor___les souffrances sous le rire sa_____sa meurtrière.

Le quatrième époux, un fondeur de cuillères ambu-
lant qui aimait beaucoup la compagnie des jeunes
femmes lors de ses tournées dans les villages environnants, reçut une funeste leçon de la part de sa nouvelle femme. Un après-midi, alors qu'il faisait la
sieste, la Corriveau, en fouillant dans son sac de
voyage, dénicha de l'étain. Elle fit chauffer le métal
tant et si bien qu'elle put ensuite vider le liquide en
fusion dans l'oreille du mari infidèle. Le Casanova
mourut dans d'horribles souffrances sous le rire
sadique de sa meurtrière.

Le cinquième mari de la Corriveau, un sacristain qui avait en tout temps prêché la bonne nouvelle, béni ses cochons avec des rameaux et pris l'habitude d'obliger les siens à louer Dieu à toute heure du jour, fut simplement tué d'un bon coup de chaise derrière la tête pendant qu'il priait fiévreusement dans sa chambre. L'homme monta donc directement au paradis, sa dernière prière tout de travers dans le gosier.

Le sixième, un cordonnier bossu, se vit passer sa propre alêne à travers le ventre. La Corriveau n'avait pas apprécié qu'il l'implorât maintes fois de lui préparer une potion magique qui le libérerait de son infirmité. Insultée à force d'être traitée de sorcière, elle avait fini par le tuer et avait maquillé son meurtre en accident de travail.

Le septième et dernier époux, le seul qu'elle aimât véritablement, reçut (par accident) un coup de fourche à fumier dans le dos, ce qui lui transperça le cœur. Cette affaire déclencha une enquête qui conduisit la Corriveau devant le tribunal. Certaines personnes rapportent que la mort du dernier de ses maris était réellement un accident qu'on pourrait qualifier d'ironie du sort, puisque la meurtrière souhaitait chérir cet homme jusqu'à la fin de ses jours.

Le septième mari ↑

Malgré toutes les recherches, le corps de la Corriveau, qui avait été exposé dans la cage de fer, est toujours demeuré introuvable. Cela dit, de nombreux témoins prétendent l'avoir croisée par des nuits sans lune, errant dans la ville sans doute à la recherche d'un nouveau mari. Elle arpente les routes du vieux Lévis et, récemment, son spectre aurait été aperçu sur la rue Wolfe, près du théâtre de l'Anglicane. Il est conseillé aux jeunes hommes qui croisent sa route d'accélérer le pas et de chercher refuge dans une église ou un cimetière, deux endroits où l'âme de la Corriveau ne peut accéder.

L'Anglicane à travers le temps

1900 ◁   ▷ 2000

Saint Jean Port Joli

Lévis

Québec

Sainte-Anne-de-Beaupré

Baie-Saint-Paul

Saint-Jean-Port-Joli

Fleuve Saint-Laurent

La Malbaie

Kamouraska

LA COUREUSE
DES GRÈVES

La coureuse des grèves était, semble-t-il, une ravissante jeune femme dont la description rappelle davantage une nymphe d'eau qu'une humaine. On dit qu'il était possible de l'apercevoir à la barre du jour, déambulant sur les rives du Saint-Laurent, tout près de Saint-Jean-Port-Joli. Portant un panier d'osier rempli de fruits sauvages, de pain frais, de miel et de noix, elle offrait à manger aux pêcheurs et aux marins qui la croisaient sur les berges.

Pendant près de vingt ans, tous les étés, on l'a vue emprunter un sentier qui menait à la mer pour y rencontrer les marins venus de ports lointains et de pays exotiques. On ne sut jamais vraiment où habitait cette jolie femme fragile, à l'esprit libre et aux charmes envoûtants, mais on dit qu'elle disparut aussi mystérieusement qu'elle était venue. Par un soir d'automne particulièrement froid, on entendit le cor de brume d'un navire marchand qui passait sur le fleuve. Le lendemain, la coureuse des grèves ne réapparut pas, et jamais plus on ne la revit marcher sur les rives du fleuve. Les vieux pêcheurs racontent qu'elle serait tombée amoureuse d'un séduisant étranger et l'aurait suivi. D'autres prétendent que son temps sur les berges du fleuve était terminé et qu'elle s'en est allée au-delà de l'horizon pour visiter d'autres contrées. Après son départ, les hommes de Saint-Jean-Port-Joli ont longtemps soupiré de mélancolie alors que les femmes, elles, prient toujours afin qu'elle ne revienne jamais.

La créature des eaux demeure cependant bien vivante dans la mémoire de ceux qui ont assisté au spectacle de ses robes dansant dans le vent du large. Bien qu'il semble maintenant improbable de la rencontrer de nouveau, beaucoup la cherchent encore sur les rives du grand fleuve.

Nymphes

Les nymphes sont de jolies jeunes femmes à la beauté gracieuse, qui protègent et fertilisent la nature. Elles sont présentes aussi bien dans les forêts profondes que sur la cime des hautes montagnes, mais on les trouve également près des lacs et des rivières, dans les vallées et même les grottes. Elles ont le pouvoir d'envoûter les hommes au point de les rendre complètement euphoriques.

Nymphae
Acer Platanoides

Baie-Comeau

Ste-Anne-des-Monts

Les Méchins

Fleuve Saint-Laurent

Matane

Mont-J...

Causapscal

Baie des Chaleurs

Addington

O   E

S

Causapscal

LA CROIX MAUDITE DE CAUSAPSCAL

Il existe encore aujourd'hui, tout près du village de Causapscal en Gaspésie, une grande croix de bois où, jadis, des rituels d'invocation du démon auraient été pratiqués en de maintes occasions. C'est en cet endroit même, à une intersection routière peu fréquentée, que bon nombre de poules noires auraient été sacrifiées, ouvrant ainsi un passage entre le monde réel et celui des ténèbres.

On a affirmé qu'à l'époque quiconque voulait entrer en contact avec les forces du mal n'avait qu'à se rendre à la croix par une nuit sans lune avec une poule noire enfermée dans un sac. La personne devait se placer directement sous la croix, prendre la poule par les pattes, tête en bas, puis la fendre en deux d'un seul coup sans qu'elle pousse le moindre cri. Pour conclure le rituel, il fallait que le suppliant boive le sang de l'animal, provoquant ainsi l'apparition d'une ombre maléfique qui lui offrait d'emblée, sur un ton lugubre, d'échanger son âme contre la réalisation d'un vœu.

On rapporte aussi que plusieurs habitants de la Matapédia auraient pratiqué ce rituel, et ce, pour différentes raisons. On pouvait se rendre sous la croix de Causapscal dans l'espoir de faire fortune, d'être guéri d'un mal ou de se venger d'un voisin indésirable. On y allait aussi pour augmenter son succès auprès du sexe opposé ou tout simplement dans le but d'obtenir un poste important dans son milieu de travail.

Sans doute s'agissait-il d'hommes et de femmes désespérés ou simplement malhonnêtes. Victimes de leur cupidité, de leur désir de pouvoir ou de leur volonté de plaire à tout prix, ils tablaient sur cette pratique douteuse pour parvenir à leurs fins. Or, on raconte que la plupart d'entre eux auraient connu une mort violente et que leur spectre hanterait la forêt et les routes des environs de la croix. Récemment, plusieurs témoins ont même affirmé avoir assisté, non loin de là, à un sabbat au cours duquel des revenants pratiquaient des danses païennes au son discordant d'une flûte et d'un tambour.

Quant à la croix, elle serait encore fortement imprégnée des sacrilèges de tous ces rituels passés, si bien que toute personne qui la touche peut s'attendre à voir la malchance s'abattre sur elle ou sur son entourage. On dit aussi que, certaines nuits sans lune, les âmes des damnés de la croix maudite reviennent furtivement dans le monde des vivants. Mieux vaut alors ne pas traîner aux alentours…

Bas du
fleuve

Québec

Forestville

Longue-Rive   Grosses-Roches

Fleuve Saint-Laurent

La Baie

Tadoussac   Rimouski
                               Bic
                         Saint-Fabien

                    Trois-Pistoles

                                        ZONE DE FRAPPE
                                        FRÉQUENTE

              Rivière-du-Loup

La Malbaie

Saint-Paul

LA DAME AUX GLAÏEULS

Entre Québec et le Bas-du-Fleuve, il est parfois possible de distinguer sur les eaux du Saint-Laurent une dangereuse créature qu'on appelle la Dame aux glaïeuls. Yeux verts, peau cuivrée et cheveux noirs dansant dans le vent, elle affiche toujours un sourire magnifique et exhale un doux parfum d'herbe fraîchement coupée. Parée d'un halo lumineux à la manière d'un ange couronné, elle arrive ainsi à cacher ses intentions malveillantes. Apparaissant de nuit dans les rayons clairs de la nouvelle lune, le spectre, tout de blanc vêtu et portant un énorme bouquet de fleurs, est constamment à la recherche de nouvelles victimes à étrangler.

Invariablement, la Dame aux glaïeuls se manifeste dans une bruine enchanteresse qui met aussitôt ses proies en confiance. Elle s'approche alors doucement de sa cible et lui tend ses fleurs avant de s'élancer sur elle avec force et violence. Les rares victimes qui ont survécu à son attaque ont d'abord ressenti un immense bien-être, avant d'entendre une douce musique émanant du brouillard environnant. Ainsi en confiance et charmées par l'exquise mélodie, elles se sont retrouvées sans défense, à la merci de la perfide créature.

Personne ne sait exactement pourquoi la Dame aux glaïeuls s'en prend aux voyageurs qui empruntent le fleuve. Cependant, elle est souvent comparée aux Jenny Dents Vertes, ces monstres des rivières du Yorkshire, en Angleterre, qui noient sans raison les promeneurs s'aventurant au bord de l'eau.

Jenny est une sorte de harpie verte aux cheveux d'algues et aux dents acérées...

Mme Armande Houel, dont le corps fut retrouvé suspendu dans un arbre, et son jeune fils Médéric, mort sur la plage en 1984, ici au Québec, sont les deux dernières victimes connues de la Dame aux glaïeuls. La mère et l'enfant étaient de la ville de Québec et se dirigeaient vers Trois-Pistoles pour rejoindre leur famille. La sévérité des marques observées sur les cous des deux victimes a révélé qu'elles avaient été étranglées avec une force peu commune, trahissant ainsi un acte infâme de la Dame aux glaïeuls. En outre, les empreintes reproduisant de longs doigts palmés telles des serres d'aigle ont laissé présumer aux enquêteurs médico-légaux qu'il s'agissait bien du monstre en question. Depuis lors, tous les dossiers concernant les meurtres attribuables à cette étrange créature sont confidentiels et demeurent inaccessibles au public. Les autorités vo... même jusqu'à nier leur existence.

Extrait du rapport de l'ex-coroner chargé du dossier relatif à une série de meurtres et disparition dans la MRC du Bas-Saint-Laurent. Il a été démis de ses fonctions pour troubles psychologiques, du moin selon les sources officielles...

lesbourg

Bé

Québec

Sillery

-Foy

LA DAME BLANCHE

Vaporeuse et translucide, la Dame blanche est une vision féminine se manifestant surtout près des cascades, des cataractes ou des rapides. Au Québec, la plus célèbre est sans doute celle de la chute Montmorency, que l'on peut apercevoir au lever du jour sur la petite étendue d'eau qui jouxte le bouillonnement de la rivière. Des témoins la décrivent à tort comme s'il s'agissait d'un fantôme, dont le corps serait entièrement composé de fines gouttelettes d'eau. Or, loin d'être un spectre, la Dame blanche est avant tout un esprit protecteur des hommes et de la nature, et elle utilise l'embrun des cascades pour se rendre visible. On attribue sa présence à la légende des futurs époux Mathilde et Louis qui, en 1759, furent séparés l'un de l'autre au cours de l'attaque en force de navires

britanniques. Louis fut tué en essayant d'échapper à ses ravisseurs. Mathilde, folle de douleur, se lança alors dans la chute Montmorency, vêtue de sa robe de mariée. Depuis ce jour, il est dit que l'âme de la jeune amoureuse y est prisonnière et qu'il est possible de la voir à travers les brouillements de l'eau. On croit aussi que quiconque a le malheur de toucher sa robe de bruine s'expose à une mort terrible au cours des jours suivants. Toutefois, elle est reconnue pour son caractère docile et maternel, et la créature n'hésitera jamais à venir en aide aux infortunés qui croisent sa route.

À Petite-Rivière-Saint-François, on raconte qu'une enfant perdue en forêt fut miraculeusement sauvée grâce à une Dame blanche. Retrouvée par les villageois le lendemain de sa mésaventure, la gamine affirma avoir été secourue par une femme très belle qui lui avait donné à manger et à boire. Puis, afin de la protéger du froid, la noble dame l'avait prise dans ses bras et l'avait tenue au chaud contre elle toute la nuit. Au matin, c'est sous un tiède rayon de soleil que la fillette avait rouvert les yeux quelques instants avant d'être découverte. Une enquête révéla que la jeune fille avait bel et bien été secourue par une femme, de fraîches traces de pieds dans la boue l'attestant. Cependant, personne ne put expliquer pourquoi ces empreintes s'estompaient à l'approche de la rivière. De moins en moins profondes, les traces de la femme semblaient s'être volatilisées.

Il est toujours envisageable d'assister à des apparitions de Dames blanches à Saint-Ferréol-les-Neiges dans la région de Québec, à Sainte-Ursule en Mauricie et à Saint-Zénon dans Lanaudière.

Lanoraie

Région de
Montréal

Région de
Lanoraie

LA HÈRE

Cette créature semble difficile à définir puisque la plupart des gens qui l'ont aperçu meurent habi aller à force

cr

sont roces souffrances.

Également appelée « bête à grand'queue », la hère était autrefois aperçue surtout autour des camps de bûcherons, dans le nord du Québec. Toutefois, elle aurait aussi été vue en 1912 en plein jour près de l'ancien manoir de Dautraye, à Lanoraie, par un dénommé Pierriche Desrosiers. Incapable de décrire nettement l'animal, ce dernier rapporta néanmoins qu'il était pourvu d'une formidable queue poilue et rouge de deux mètres de long.

D'autres témoins ayant entrevu la créature prétendent qu'elle est difficile à cerner puisqu'elle est apparemment la dernière représentante de son espèce. On raconte que, sans père ni mère, elle est

issue du monde des ténèbres et aurait été créée dans le seul but de tourmenter les êtres vivants. La hère ne se montrerait délibérément que tous les cinquante ans, lorsque la nuit est particulièrement noire et qu'un orage déchire le ciel. Ceux qui jadis ont croisé son regard ont disparu dans la seconde, sans laisser de traces. On dit encore que les chasseurs audacieux qui ont osé la poursuivre se sont eux aussi volatilisés dans les bois sans que quiconque puisse expliquer ce qui leur était arrivé.

Cette bête unique, dont seule la queue pourrait nous permettre de l'identifier, rôde toujours dans les grandes forêts du Nord. Son habileté à se dissimuler dans les bois tient au fait qu'elle se fond dans son environnement. Malheureusement, elle constitue encore aujourd'hui une menace sérieuse pour celles qui s'aventurent en forêt. Il a été signalé plusieurs disparitions de hère. Les autorités s'efforcent de retrouver la bête

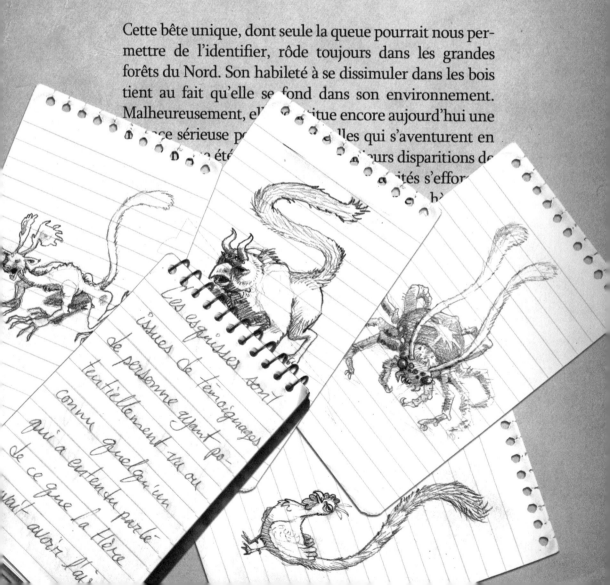

Les esquisses sont issues de témoignages de personne ayant potentiellement vu ou connu quelqu'un qui a entendu parlé de ce que la hère pourrait avoir l'air

Cette
nous
dans
se di
se fo
forê
les
diss
les
diss

Malheureusement, elle constitue e...
constitue encore aujourd'hui une menace sérieuse
pour ceux et celles qui s'aventurent en forêt. Chaque
été, on dénombre plusieurs disparitions de campeurs
imprudents. Bien que les autorités s'efforcent de nier
l'implication d'une créature telle que la hère dans ces
mystérieuses disparitions, il est clair pour les mem-
bres de différentes sociétés de cryptozoologie à
travers le monde qu'une telle bête existe bel et bien
dans les grandes étendues du Québec.

La hère serait peut-être la dernière représentante de
la race des « esprits de la Terre » appelés communé-
ment « ogres-serpents », qui peuplaient anciennement
tout l'ouest de l'Amérique. La tradition orale des
Sioux met régulièrement en scène cette créature qui,
très sensible à la dégradation de son milieu de vie,
aurait migré vers le nord dès les débuts de
l'industrialisation étasunienne.

Parc de
La Vérendrye

LE CALUMET DE LA SAGESSE

Les peuples autochto[n]
de t[...]

Dans plusieurs légendes amérindiennes, il est question d'un objet magique capable de redonner aux tribus d'Amérique la place qu'elles ont perdue au profit de l'homme blanc. Voici l'histoire qui nous fut rapportée par un vieil Algonquin de Mont-Laurier, le 20 juillet 1995. Les événements auraient eu lieu dans la région aujourd'hui connue sous le nom de parc de La Vérendrye, entre Grand-Remous et Val-d'Or.

Dans les temps anciens, lorsque régnait la paix, c'est-à-dire au temps des arbres géants, bien avant l'homme blanc, vivaient sur le continent les fils du grand Esprit Manitou suprême.

À travers les âges, ils s'étaient dispersés d'un océan à l'autre, de la mer chaude aux glaciers, d'une île à une montagne. Un jour, toutes ces peuplades furent convoquées par le Manitou qui désirait leur livrer un cadeau sans prix, une chose essentielle à leur survie. Les oiseaux avaient été mandatés pour les en aviser. Du colibri à l'aigle royal, les messagers du ciel étaient partis annoncer la volonté du grand Esprit pendant que dans une immense vallée ceinturée d'eau et à l'abri du vent, on préparait un prodigieux feu, un brasier capable de réchauffer tous les Amérindiens, près d'un millier

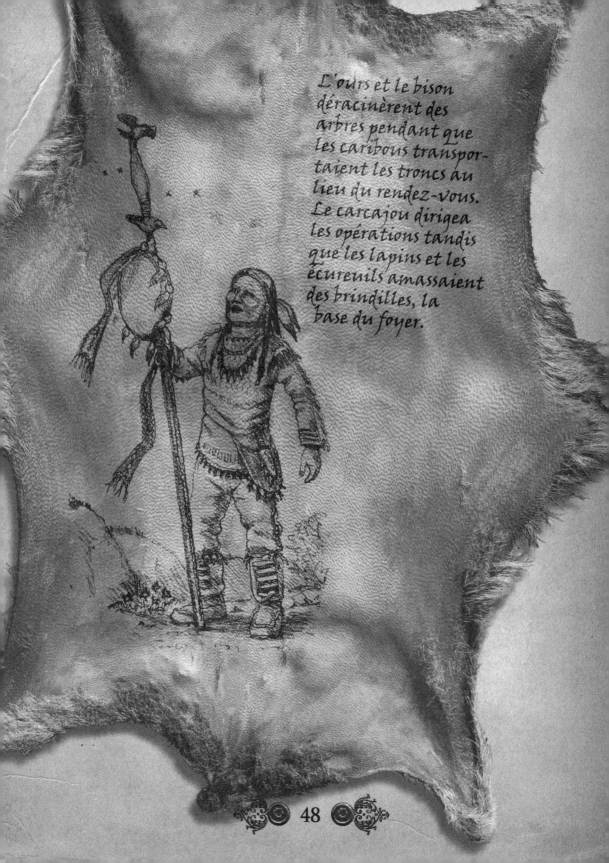

L'ours et le bison déracinèrent des arbres pendant que les caribous transportaient les troncs au lieu du rendez-vous. Le carcajou dirigea les opérations tandis que les lapins et les écureuils amassaient des brindilles, la base du foyer.

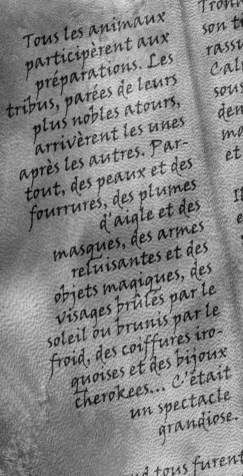

Tous les animaux participèrent aux préparations. Les tribus, parées de leurs plus nobles atours, arrivèrent les unes après les autres. Partout, des peaux et des fourrures, des plumes d'aigle et des masques, des armes reluisantes et des objets magiques, des visages brûlés par le soleil ou brunis par le froid, des coiffures iroquoises et des bijoux cherokees... C'était un spectacle grandiose.

Quand tous furent présents, on alluma le feu de joie et le grand Esprit se manifesta au cœur des flammes.

Trônant au centre de son tipi infernal, il rassura ses enfants. Calmement, il creusa sous les bûches ardentes et, d'une main, prit de la terre et de la cendre.

Il ouvrit sa paume et y déposa une de ses larmes. En travaillant ce mélange, il en fit une pipe. Quand l'instrument de terre fut cuit par le feu, il le présenta au vent.

L'air perça un trou, long et mince, au centre de l'objet. Le peuple de la forêt vit alors qu'on lui présentait un calumet parfait, créé par les éléments.

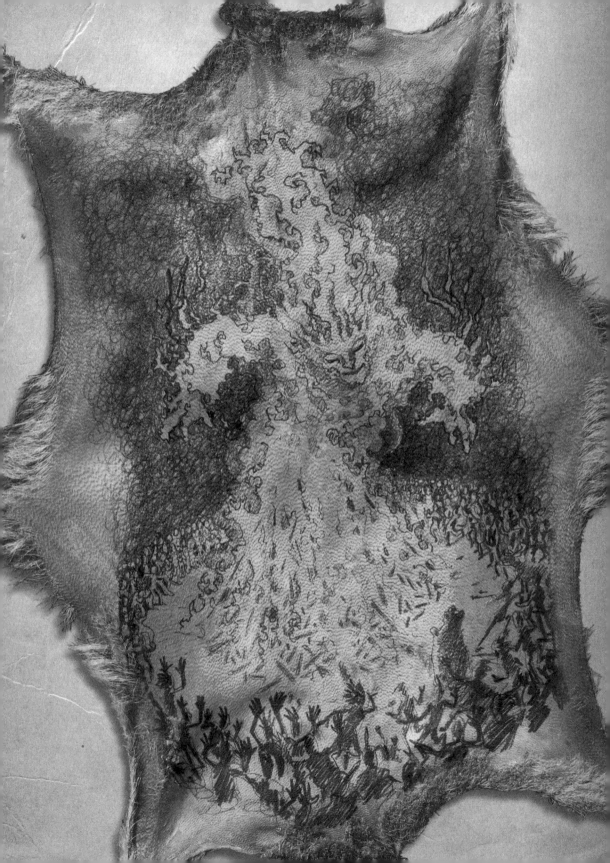

Le Manitou s'adressa ensuite à ses fils :

« Ce calumet de la sagesse est mon cadeau. Il gardera en mémoire toutes les paroles qui seront exprimées ici ce soir. Plus tard, peu importe le nombre des années écoulées, il les répétera à quiconque le questionnera. Veillez donc à ce que vos lèvres expriment avec sagesse toute votre expérience de la vie des hommes et des animaux dans ce monde actuel. »

Il les salua, leur sourit et disparut.

Puis la fête débuta dans la fraternité et l'échange. Tandis que dans ses mocassins de silence la lune parcourait le ciel étoilé, le calumet passa de conteurs à sorciers, de guerriers à chefs, de femmes à enfants et de clans à tribus.

L'objet enregistra dans sa mémoire de terre, d'eau, d'air et de feu chaque mot des vieilles légendes, chaque croyance et chaque médecine, chaque danse et chaque rituel, toutes les guerres et tous les exploits, toutes les morts et toutes les naissances ainsi que les dons de tous les animaux.

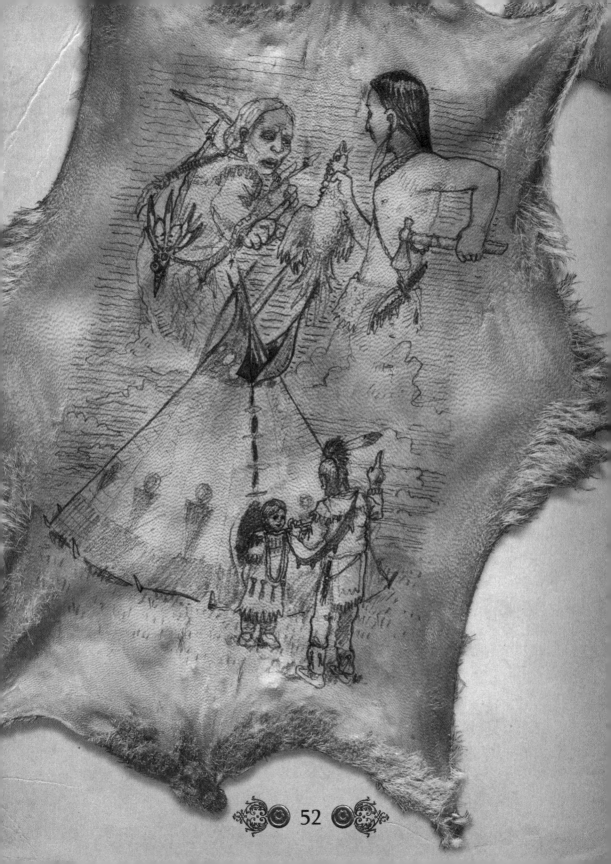

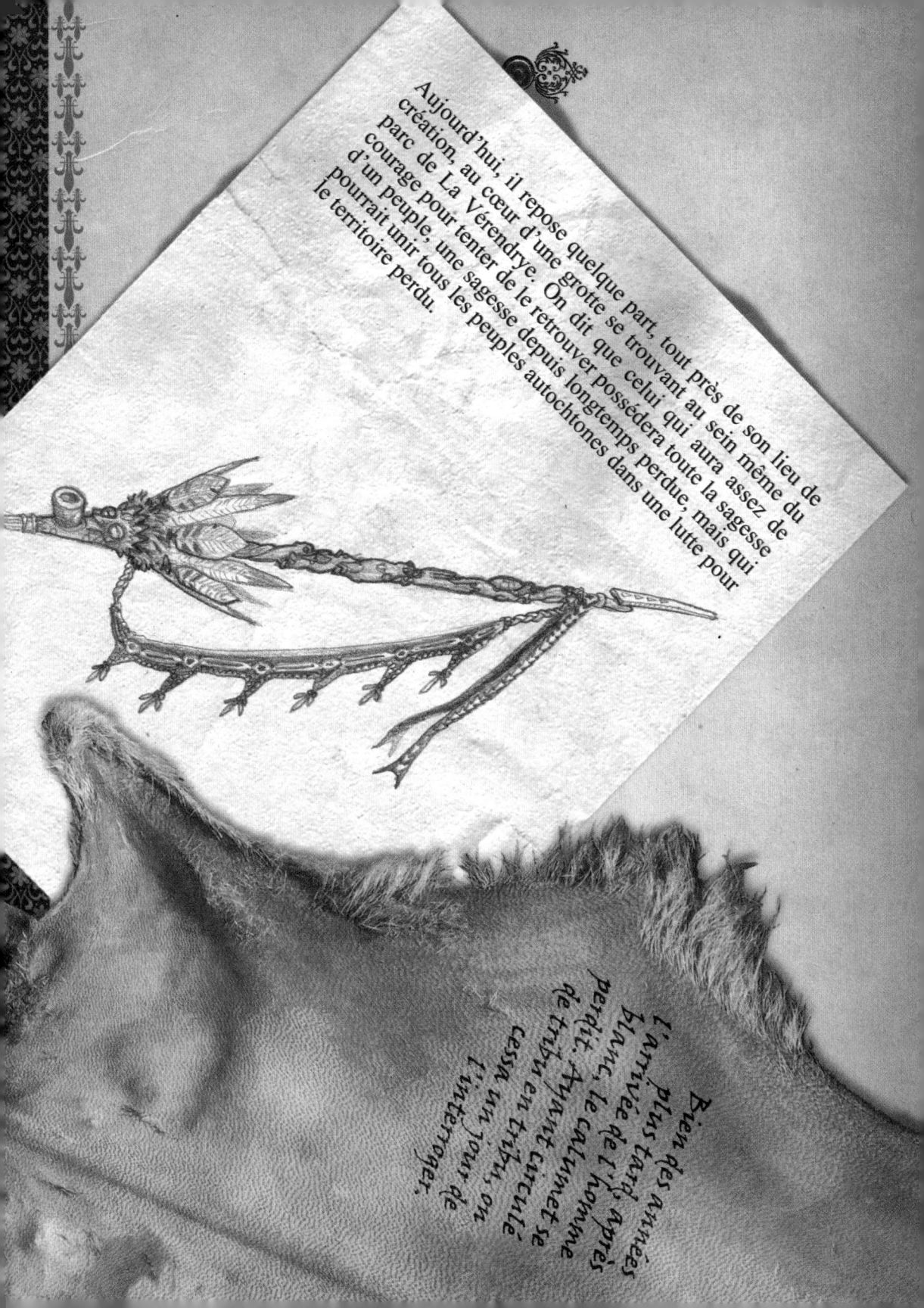

Aujourd'hui, il repose quelque part, tout près de son lieu de création, au cœur d'une grotte se trouvant au sein même du parc de La Vérendrye. On dit que celui qui aura assez de courage pour tenter de le retrouver possédera toute la sagesse d'un peuple, une sagesse depuis longtemps perdue, mais qui pourrait unir tous les peuples autochtones dans une lutte pour le territoire perdu.

Bien des années plus tard, à l'arrivée de l'homme blanc, le calumet se perdit. Ayant circulé de tribu en tribu, on cessa un jour de l'interroger.

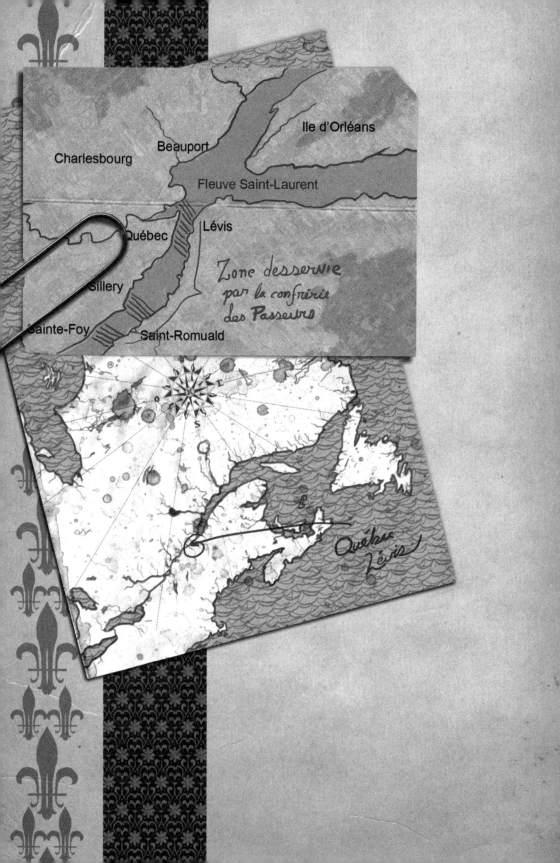

LA TÊTE QUI ROULE

On raconte que certains soirs de tempête hivernale, il est possible de voir la tête de l'ancien capitaine de chaland Jean Soûlard remonter des profondeurs du fleuve pour rouler sur les glaces entre Québec et Lévis. Celle-ci laisserait derrière elle de longues traces de sang, témoignage de son passage entre les deux rives.

Les légendes autour de cette apparition morbide et troublante remontent au temps révolu des passeurs qui transportaient vivres et passagers d'un côté à l'autre du fleuve. À cette époque vivait Jean Soûlard, le plus téméraire des navigateurs que la ville de Québec eût connu. Orgueilleux au point de croire qu'il pouvait mater n'importe quelle tempête, au mépris de la vie de ses passagers, jamais il ne refusa de faire traverser quiconque avait le cœur bien accroché dans la poitrine, et une bourse assez garnie pour le payer.

C'est par une nuit [...]
lente que Soûlard [...]
d'argent pour [...]
fleuve avec [...]
crédules qui [...]
voulant [...]
et saufs sur [...]
décidé autrement [...]

Zépherin Routier

Éléar Beauregard

Balthazar Tarmin

Joseph-Arthur Jodoin

Marcel Tremblay

Jean Soûlard

Passeurs Québec-Lévis Finissants

mais le [...] brume sur les glaces.

Les légendes autour de cette apparition morbide et troublante remontent au temps révolu des passeurs qui transportaient vivres et passagers d'un côté à l'autre du fleuve. À cette époque vivait Jean Soûlard, le plus téméraire des navigateurs que la ville de Québec eût connu. Orgueilleux au point de croire qu'il pouvait mater n'importe quelle tempête, au mépris de la vie de ses passagers, jamais il ne refusa de faire traverser quiconque avait le cœur bien accroché dans la poitrine, et une bourse bien garnie pour le payer.

C'est par une nuit de tempête particulièrement violente que Soûlard, déterminé à se faire un peu plus d'argent pour aller boire dans une taverne, prit le fleuve avec un groupe de voyageurs étrangers un peu crédules qu'il avait convaincus de monter à bord. Se voulant rassurant, il leur jura qu'il les déposerait sains et saufs sur le quai de Lévis. Mais le destin en avait décidé autrement. En effet, une erreur de pilotage fit entrer le chaland de plein fouet dans un gigantesque bloc de glace et envoya l'embarcation par le fond. Tous les passagers furent noyés, sauf Jean Soûlard, qui réchappa miraculeusement du naufrage et qui faillit ainsi à sa parole.

Humilié, pointé du doigt par ses collègues, Jean Soûlard fut expulsé de la confrérie des passeurs. Devenu hargneux, il commença à fréquenter assidûment les tavernes et les auberges. Soûl du matin jusqu'au soir, il accepta un jour de passer, pour le prix d'une bouteille de rhum, une goélette remplie de fêtards qui désiraient continuer leur beuverie à Québec. C'est ainsi que le capitaine déchu reprit la barre pour s'enfoncer à travers les glaces dans une tempête particulièrement violente.

Naviguant diff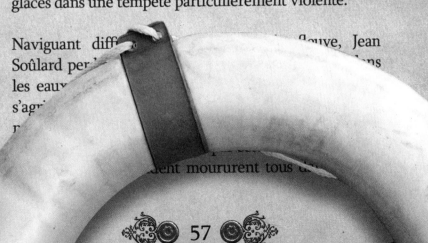uve, Jean Soûlard per ns les eaux s'agi r ent moururent tous

Naviguant difficilement au milieu du fleuve, Jean Soûlard perdit soudain pied et se retrouva plongé dans les eaux gelées. Alors qu'il essayait désespérément de s'agripper à un bloc de glace, sa tête fut tranchée par un morceau particulièrement coupant et projetée en tournoyant dans les airs. Poursuivis par cette vision d'horreur, les témoins de l'accident moururent tous dans l'année qui suivit le drame.

Le plus étrange est que l'apparition de la tête de Soûlard se manifeste encore de nos jours, car il arrive de voir, par gros temps d'hiver, la tête du capitaine maudit rouler sur les glaces du fleuve. On dit aussi que ceux et celles qui ont la malchance de l'apercevoir meurent dans l'année.

MORT SUSPECTE

Québec. Un prolifique commerçant de Sillery a été retrouvé sans vie, glacé dans une ruelle de la basse ville. Il n'a pas été possible d'établir les causes de son décès. Les policiers affirment qu'il n'y avait aucune trace de violence sur son corps. La théorie qu'il se soit endormi après une beuverie n'est pas écartée. Dans son entourage, on dit de cet homme qu'il n'était plus que l'ombre de lui-même depuis un accident maritime survenu l'hiver dernier.

Gaspé

Île d'Anticosti

Fleuve Saint-Laurent

Sainte-Anne-des-Monts

Gaspé

Percé

ZONE D'APPARITION

Chandler

Paspédiac

Caraquet

...gton

Bathurst

Golfe du Saint-Laurent

LE BATEAU FANTÔME
DE GASPÉ

Les jours de mauvais temps, il est possible de voir sur la mer, juste devant la ville de Gaspé, un grand vaisseau noir enflammé voguant sur les flots. C'est un trois-mâts à bord duquel des marins squelettiques et à moitié calcinés s'évertuent en vain à éteindre le feu qui consume les voiles. Le voilier est sous la gouverne d'un capitaine sans morale qui fut damné avec tout son équipage au XVIᵉ siècle.

Il était courant parm[...] [l]es cercles des explorateurs du nouve[...] [...] de s'approprier les biens des n[...] [...]ncer son m[...] le bate[...] [...] fo[...]

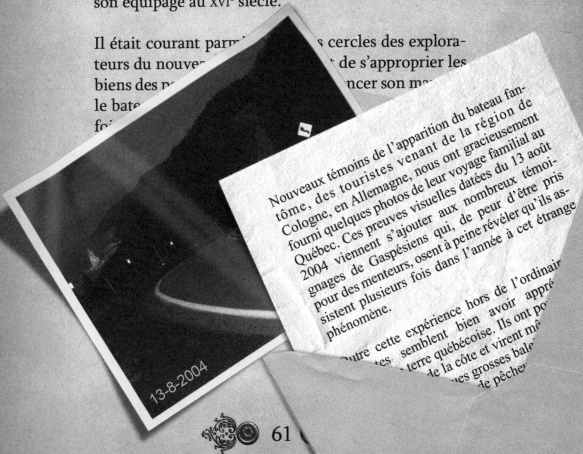

Nouveaux témoins de l'apparition du bateau fantôme, des touristes venant de la région de Cologne, en Allemagne, nous ont gracieusement fourni quelques photos de leur voyage familial au Québec. Ces preuves visuelles datées du 13 août 2004 viennent s'ajouter aux nombreux témoignages de Gaspésiens qui, de peur d'être pris pour des menteurs, osent à peine révéler qu'ils assistent plusieurs fois dans l'année à cet étrange phénomène.

[...]Outre cette expérience hors de l'ordinair[e] [...]es semblent bien avoir appré[...] [...] terre québécoise. Ils ont po[...] [...] de la côte et virent mê[...] [...]es grosses bale[...] [...]de pêcher[...]

13-8-2004

Selon la légende, l'homme sans scrupules aurait fait monter à son bord de braves Amérindiens qu'il aurait soûlés avant de les vendre comme esclaves dans les vieux pays. Content de sa ruse et désireux de recommencer son manège, le capitaine serait revenu dans la baie de Gaspé où, cette fois, il aurait été reçu par de farouches guerriers et un puissant chaman micmac. À la nuit tombante, les Amérindiens auraient encerclé le navire de leurs canots d'écorce afin de le cribler de flèches enflammées. Puis, usant de tout son pouvoir, le sorcier aurait jeté une malédiction sur le vaisseau et son équipage, les condamnant à brûler pour l'éternité. Depuis ce jour, il paraît que le navire revient souvent hanter les côtes de Gaspé et que, parfois, on peut même entendre à travers le brouillard le rire fou de son misérable capitaine.

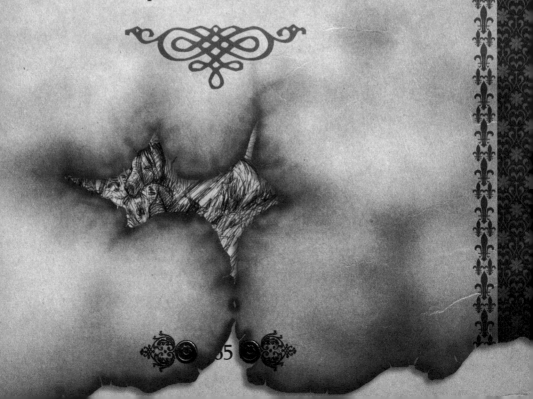

Rivière-Saint-Jean
Havre-Saint-Pierre
Longue-Pointe-de-Mingan
on Beetz

Aguanish   le Michon
Natashquan

Fleuve Saint-Laurent

Golfe du Saint-Laurent

Port-Menier

Anticosti

ÎLES
D'APPARITION

O   E

S

Île d'Anticosti

LES CHEVAUX MARINS DE L'ÎLE D'ANTICOSTI

Entre l'île d'Anticosti et les rives de la côte Nord se promènerait encore aujourd'hui une harde de chevaux marins que Jacques Cartier dit avoir aperçue en 1535. Si l'on se fie aux dessins effectués plus tard par Charles Bécard de Granville, cartographe du roi de France, ces créatures auraient un grand corps conique et adipeux rappelant celui d'un phoque gigantesque, surmonté d'une tête de cheval à la longue crinière.

Deux puissantes pattes ressemblant à celles d'un lion, munies de quatre longues griffes, terminent le portrait insolite de cet étrange monstre aquatique.

Personne ne semble savoir d'où proviennent ces chevaux marins, ni pourquoi leur territoire se limite entre l'île et la côte Nord. Certaines vieilles légendes amérindiennes attribuent à ces étranges créatures la capacité de sortir complètement de l'eau pour aller brouter dans les prés voisins des campements innus. Ces monstres hybrides, capables de se déplacer aussi bien dans l'eau que sur la terre ferme, ne sont observables que la nuit.

texte de Jacques
Cartier daté d'août
1535

Il y a dedans ladicte rivière poissons qui ont la forme de chevaulx lesquels vont à la terre de nuyct et de jour à la mer ainsi que nous fut dict par noz sauvages et de ces dicts poissons vismes un grand nombre dedans ladicte rivière.

Nous devons au procureur de la prévôté de Québec, Bézard de Granville, une pièce essentielle dans le complexe dossier des monstres américains. [...] Cet homme de loi, à la fin du XVIIe siècle, avide de toutes les curiosités de la Nouvelle-France, avait rédigé un manuscrit qui nous suissit dessin certain pour le gigantisme caractérise cette œuvre. Les Rareres, les Rarités des Indes ou

Cheval Marin qu'on voit dans
les pierres du bord du fleuve
de Chisedech qui se déborge
dans le fleuve de Saint-
Laurent.

Le dernier témoignage relatant l'apparition des chevaux marins remonte à 1992. Un Torontois de quarante-cinq ans, Michael Davidson, parti de Sept-Îles pour une journée de pêche sur le fleuve, fut victime d'une soudaine et violente tempête. Après trois jours de recherches, les sauveteurs le découvrirent dans son embarcation, près de l'île d'Anticosti. Épuisé et déshydraté, le rescapé jura avoir été réveillé durant la dernière nuit à bord de sa chaloupe par la course effrénée d'une harde de chevaux. Selon ses dires, les bêtes, dont le corps était à moitié calé dans l'eau, couraient et hennissaient comme de véritables pur-sang. Pour les médecins et spécialistes, le manque d'eau associé à l'extrême fatigue aurait contribué à provoquer ces hallucinations.

caméra
à rayon "z"

Grâce à la technologie des mini caméras et à des aptitudes particulières, j'ai pu pénétrer dans les bureau d'un éminent cryptozoologiste afin de mettre la main sur son mémoire : « Lycanthropie dans le monde ». Quelle ne fut pas ma surprise de constater que ce document comportait une importante section relative aux loups-garous du Québec. Je m'empresse de la partager avec vous afin que se dissipent les préjugés face à ces créatures somme toute pas très catholiques...

LE LOUP-GAROU
DU QUÉBEC

Mes... ...s parcours dans les régions du
pa... ...erches sur ces créatures
...erait celle d'un
...agressif.

Dossier Loup-Garou 1

DÉPARTEMENT					
NOM					

DÉPARTEMENT					
NOM					

refug...
le sol durci ; ...
vant et, tandis qu...
des grognements sourds e...

L'on apprend de Saint-Roch, près du cap Mauraska (Kamouraska), qu'il y a un loup-garou qui court les côtes sous la forme d'un mendiant qui, avec le talent de persuader ce qu'il ignore, et en promettant ce qu'il ne peut tenir, a celui d'obtenir ce qu'il demande. On dit que cet animal, avec le secours de ses deux pieds de derrière, arriva à Québec le 17 dernier et qu'il en repartit le 18 suivant, dans le dessein de suivre sa mission jusqu'à Montréal. Cette bête est, dit-on, dans son espèce, aussi dangereuse que celle qui parut l'année dernière dans le Gévaudan ; c'est pourquoi l'on exhorte le public de s'en méfier comme d'un loup ravissant.

Publié le 14 juillet 1766 dans La Gazette de Québec.

Institut supérieur du savoir obscur de Krako...
Département de cryptozoologie

Traité de lycanthropie mondiale
Chapitre assigné aux loups-garous du Nord-Est américain

CONFIDENTIEL
À ne diffuser sous aucun prétexte

RÉAPPARITION

De Kamouraska, le 2 décembre, nous apprenons qu'un certain loup-garou, qui roule en cette paroisse depuis plusieurs années, et qui a fait beaucoup de dégât dans le district de Québec, a reçu plusieurs assauts considérables au mois d'octobre dernier, par divers animaux que l'on avait armés et déchaînés contre ce monstre, et notamment, le 3 novembre suivant, qu'il reçut un si furieux coup par un petit animal maigre que l'on croyait être entièrement délivré de ce fatal animal, vu qu'il est resté quelque temps retiré dans sa tanière, au grand contentement du public. Mais l'on vient d'apprendre, par le plus funeste des malheurs, que cet animal n'est pas entièrement défait, qu'au contraire il commence à reparaître plus furieux que jamais et fait un carnage terrible partout où il frappe. Défiez-vous donc tous des ruses de cette maligne bête, et prenez bien garde de tomber entre ses pattes.

Publié le 10 décembre 1767 dans le même journal

Quelques mots sur
la symbolique du loup

Dans la culture occidentale, le loup est souvent associé à la cruauté et à la violence ainsi qu'à la virilité et à la force. Sa femelle fut longtemps un symbole sexuel lié à la débauche, au désir charnel et à la fécondité. Dans la culture tribale des premières nations d'Amérique, le loup est aussi considéré soit comme une incarnation de la lumière, soit comme un héros guerrier ou un ancêtre mythique.

Le loup-garou au Québec

Pour plusieurs peuples amérindiens, il guide les âmes des morts jusqu'aux Enfers, et chez les Algonquins et les Sioux, il règne même sur le pays des morts. On retrouve aussi cette association du loup avec les Enfers dans la mythologie grecque où Hadès, maître des Enfers, porte un manteau en peau de loup. Par ailleurs, la bête faisait l'admiration des Turcs pour son ardeur au combat. Le premier empereur mongol, Gengis Khan, prétendait être un descendant direct du loup bleu céleste à l'origine des dynasties chinoises et mongoles. Les Japonais le chérissaient en tant que protecteur et voyaient en lui l'incarnation de la force mal contrôlée se manifestant parfois dans la fureur et détruisant sans discernement. Chez les Romains de l'Antiquité, la louve qui donne à boire à Rémus et Romulus, fondateurs de Rome, porte en elle la symbolique de la fécondité et de l'abondance. Chez les peuplades nordiques de Sibérie, le loup est aussi invoqué pour lutter contre la stérilité féminine.

Dans la mythologie germanique et scandinave, le loup est le symbole de la destruction du monde. Il est dit que lorsque surviendra le Ragnarök, appelé également Crépuscule des dieux, c'est-à-dire quand le temps de la fin du monde sera venu, c'est le loup Fenrir qui éliminera plusieurs divinités, et Odin, le dieu des guerriers, n'y échappera pas. Puis, il avalera Midgardr, le monde des hommes, et ses fils dévoreront le Soleil et la Lune, provoquant ainsi une renaissance complète de l'univers.

Dans sa culture, le Québec hérite du modèle européen du loup qui est, comme dans l'histoire du Petit Chaperon rouge, un archétype de la puissance satanique. Venue du Moyen Âge, cette conception est un héritage des croyances populaires selon lesquelles les sorciers se rendent au sabbat sous forme de loup tandis que leurs consœurs les sorcières portent des jarretelles en peau de loup.

La créature au Québec

Le loup-garou du Québec, issu de l'imaginaire populaire, est un mythe qui s'enracine profondément dans la religion. Typiquement judéo-chrétien, ce mythe prend place dans la grande doctrine de l'Église qui oppose les forces du bien à celles du mal. Les histoires de garous servent le pouvoir religieux en traçant une ligne claire entre les bons comportements à adopter et les mauvais actes qui portent à conséquence.

Ainsi, dans la tradition populaire du Québec, plus de la moitié des récits évoquent des individus se transformant en loup-garou après avoir omis de se confesser ou de faire leurs Pâques pendant sept ans. D'autres récits font également mention de gens ayant vendu leur âme au diable ou menant une « mauvaise vie », c'est-à-dire ayant une conduite hors des préceptes de l'Église. Contrairement au mythe américain et européen où le prolongement de la malédiction se transmet, à l'image du vampire, par la morsure de l'animal, il n'y a rien dans le personnage du loup-garou québécois qui rappelle ce principe.

Le chiffre sept revêt un statut particulier dans les témoignages étudiés. Tous les récits rapportent le sept comme base de la transformation en bête. Avant de devenir un loup-garou, un homme a sept ans pour se remettre dans le chemin de l'Église, ou la damnation le frappera de plein fouet. Le chiffre sept est une piste certaine qui semble relier le loup-garou du Québec à son origine catholique puisque la Bible nous présente une abondance de principes ou d'événements liés au sept. Par exemple, dans la Genèse, Dieu créa le monde en sept jours, on retrouve dans l'Apocalypse sept candélabres d'or, sept sceaux, une bête à sept têtes et sept fléaux. La purification, l'annonciation, la visitation, l'assomption, la nativité, la présentation et l'Immaculée Conception sont les sept fêtes célébrées par l'Église en l'honneur de la Vierge Marie.

Cette dernière est souvent représentée avec sept roses, et sept glaives l'atteignent au cœur, rappelant le mystère des sept douleurs, d'où l'appellation Notre-Dame des Sept-Douleurs. Aaron, Abraham, David, Isaac, Jacob, Joseph et Moïse sont les sept patriarches de l'Ancien Testament. On retrouve sept péchés capitaux, sept vertus, sept sacrements dans l'Église catholique et sept dons de l'esprit de Yahvé dans les rites judéo-chrétiens. En croix, le Christ a aussi prononcé sept paroles avant de mourir.

Le message porté par le loup-garou est clair : les hommes qui s'éloignent de l'Église deviennent des bêtes.

« Les loups-garous, c'tait des gars qui avaient pas faites leu' Pâques sept ans de suite et y fallait les saigner ; y'étaient changés en chien et y fallait les saigner pour qu'y' r'deviennent du monde. »

Mathias Rodrigue, 75 ans, Sainte-Germaine-Station, 1965

Le loup-garou au Québec

Caractéristiques physiques du loup-garou québécois

Bien que le garou fasse référence au loup comme l'animal hôte de la transformation humaine, généralement, la créature au Québec n'est pas un loup, mais un gros chien noir.

La mythologie européenne propose des contes et des légendes avec des personnages de gros chiens noirs n'étant nullement reliés au loup-garou. Vivant à la lisière des forêts, ces bêtes imaginaires ne sortent que la nuit et exercent principalement deux fonctions, chacune présageant le malheur. L'une d'elles consiste à accompagner sur la route les voyageurs solitaires tandis que l'autre annonce le décès prochain d'un membre de la famille du témoin ou du témoin lui-même. Et dans l'imaginaire écossais plus précisément, l'animal ressemble étrangement à la description québécoise du loup-garou : un gros chien noir, de

Le loup-garon au Q

grands yeux qui brillent dans la nuit, une épaisse fourrure et la capacité de se déplacer sans bruit. L'imaginaire du Québec a sans doute hérité de l'influence anglaise et aura croisé des récits de différentes cultures pour établir son propre modèle de loup-garou.

Au Québec, la majorité des récits sur le loup-garou décrivent la bête comme un chien dont les caractéristiques de taille et de couleur varient. La bête est noire, grosse (souvent de la dimension d'un jeune veau) et couverte de longs poils. En outre, plusieurs histoires la décrivent comme « une espèce de chien » à l'apparence difficile à cerner et qui pousse des hurlements. D'autres l'apparentent à un ours ou lui attribuent la faculté de parler.

Une autre représentation du loup-garou est le cheval, mais il peut aussi être un bœuf, un chat, un cochon noir ou un veau. Ce type de mutation peut sembler étrange, mais n'est pas nouveau. Le loup-garou est aussi décrit, plus curieusement, comme un mouton ou un bœuf à tête de loup, avec des cornes et une tache blanche au milieu du front. D'autres récits évoquent encore des loups-garous sous forme de boules de feu, de lumière ou de vapeurs émanant de la terre.

Il est intéressant de noter que seuls les hommes se transforment en bête. La femme, elle, semble jouir d'un statut particulier, car elle n'est citée que dans quelques récits, dont un témoigne de sa transformation en outarde.

« Une fois, c'était mon père avec un d'mes oncles pis une couple d'autres hommes qui étaient avec eux autres, ils faisaient les foins à Québec, pis ils couchaient toujours sur une tasserie de foin. Pis un bon soir, il y a un gars qui part aussitôt qu'y sont couchés. Pis après ça... il r'ssoud dans tous les cas, il était trois heures du matin, ils avaient vu v'nir ça, c'était un gros chien noir qui arrivait avec une carcasse dans la gueule. Ça fait qu'ils l'argardaient v'nir, tout d'un coup c'était plus un chien, c'était un homme, il vire en homme, il r'monte les trouver su l'foin. »

Onésime Lavoie, 71 ans, Baie Saint-Paul, 1958

Caractéristiques psychologiques du loup-garou québécois

Sauf exception, la bête, quel que soit son aspect, se montre rarement agressive. Sa soudaine apparition fait peur, mais les témoins disent être toujours demeurés en contrôle de la situation. Certes, le loup-garou surprend par ses curiosités physiques, ses attitudes étranges et sa propension à aller directement à la rencontre de l'humain. Ce qu'il désire par-dessus tout, c'est attirer l'attention pour se faire délivrer de sa malédiction.

Effectivement, la bête adopte une attitude inoffensive, démontrant ainsi qu'elle n'est pas véritablement malintentionnée. Condamnée à l'errance dans un corps d'animal, la victime comprend mal ce qui lui arrive et ne cherche qu'à retrouver son apparence antérieure. Il est dit aussi que le loup-garou demeure avant tout un homme et que toute action pour le tuer est considérée comme une tentative de meurtre, donc sévèrement punissable par les autorités religieuses et civiles ; la tâche d'un bon chrétien n'est pas d'assassiner l'animal, elle est plutôt de le délivrer de la malédiction.

Sous sa forme humaine, le loup-garou est presque toujours défini comme un homme aux allures suspectes. Il a des comportements anormaux qui n'inspirent pas confiance. S'il est découvert avant d'être délivré de sa malédiction, il peut se montrer menaçant et parfois même violent. L'individu condamné à se muter en bête recèle déjà en lui les attributs sauvages de l'animal. L'homme se fait menaçant, mais en général la bête demeure docile. L'homme fuit la compagnie de ses semblables alors que la bête tente de s'en approcher.

Dans les cas rapportés à la campagne, la plupart des loups-garous sont délivrés par des voisins immédiats. Cette perception du « voisin » sous-entend une notion de méfiance envers l'autre. Le message est clair : la bête peut surgir n'importe où et il faut se méfier de tout le monde. Le livre des Proverbes de la Bible dit bien : « Possédez la sagesse, parce qu'elle est meilleure que l'or ; et acquérez la prudence parce qu'elle est plus précieuse que l'argent. » Les véritables chrétiens doivent avoir l'œil ouvert pour éviter de tomber dans les pièges du démon, car c'est par manque de vigilance envers sa pratique religieuse que l'on devient loup-garou.

« . . . c'était un type qui était pas supposé faire de Pâques, et puis un jour il l'a poursuivi sur la forme d'un chien, qu'on m'avait dit. Il a poursuivi ben d'ses amis l'soir. Alors l'autre pour s'en débarrasser a pris son couteau, s'voyant attaqué par lui, a pris son couteau, pis il lui en donne un coup, pis immédiatement il a trouvé un homme devant lui, près d'lui, et puis il y a dit de pas n'en parler : "Je suis la victime du couteau" il a dit. Il l'avait délivré loup-garou, et y'a faite promesse de pas en parler jamais.

« Ces deux hommes-là sont v'nus quelque temps après, et puis la discussion s'est animée surtout au sortir d'la grand'messe, à l'issue de la grand'messe. Au portique de l'église de la Pointe-aux-Trembles, et puis un moment donné dans le plus fort de la mêlée, celui qui avait délivré notre homme, il lui arrache son collet, pis y lui montre une cicatrice au cou et dit. . . en disant aux gens :

« – Voyez l'polisson là, c'est moé qui l'a délivré du loup-garou, voyez encore la marque qu'il a, à son cou.

« Et de fait les gens avaient constaté une cicatrice et l'curé a vu le rassemblement. Alors il les a tous chassés tout d'suite. »

René Desrochers, 59 ans, Pointe-aux-Trembles, 1956

Où le rencontrer ?

Le loup-garou du Québec partage les mêmes espaces de vie que les humains. Ce qui n'est pas le cas pour le personnage du mythe européen qui, lui, appartient en général à un lieu de mystère comme la forêt profonde ou les montagnes lointaines. Toutefois, dans certains récits comme la Bête du Gévaudan (centre de la France), l'animal légendaire ne se cache pas dans les bois pour n'en sortir que sporadiquement lors de ses attaques.

Dans la culture française nord-américaine, le loup-garou partage le quotidien des humains. On le rencontre majoritairement le long des routes, autour des bâtiments agricoles, dans les champs et parfois près d'un four à pain. Il pénètre dans les granges pour y ronger des os, entre dans les maisons et passe devant les fenêtres et sur les balcons. On l'aperçoit à la lisière de la forêt, près des clôtures et rôdant tout près des villes et des villages.

Le loup-garou au Québec est un personnage issu de la sédentarité et non du nomadisme comme le sont d'autres bêtes fantastiques québécoises tels la hère, les jacks mistigris et les gueulards, qui font plutôt partie de l'univers des bûcherons et des draveurs. Le loup-garou, en effet, est un mythe terrien. Rôder dans les endroits familiers des campagnes et des villages est une autre façon pour la bête de garder contact avec son humanité perdue.

On dit que beaucoup de loups-garous ont été aperçus sur les routes, entre deux villages, sur le chemin de l'église ou au retour d'une veillée. La route de campagne est le lieu de prédilection pour établir le contact entre l'homme et la bête. Le loup-garou « des routes » se montre exclusivement sous forme de chien noir ou de cheval. Les autres types de métamorphoses, comme le bœuf ou le cochon, appartiennent à l'univers de la ferme et de ses alentours.

On rapporte que des rencontres auraient eu lieu dans les villages de Nouvelle, de Saint-Charles-de-Caplan et de Maria en Gaspésie, à Plessisville et à Arthabaska au cœur du Québec, à Sainte-Anne-de-la-Pocatière dans le bas du fleuve et à Saint-Odilon-de-Cranbourne en Beauce. Enfin, de manière plus précise, en Beauce toujours, le loup-garou aurait été aperçu dans la côte Saint-Louis, en revenant de Saint-Lazare, et dans la paroisse Saint-Joseph-de-Saint-Séverin. L'Outaouais est aussi mentionné, notamment l'ancienne rue Saint-Laurent à Gatineau, et l'on cite, plus près de Montréal, la petite côte de Vaudreuil. Enfin, au moins une rencontre aurait eu lieu au moulin à farine de Campbellton, au Nouveau-Brunswick, tout près de la frontière québécoise, ainsi qu'à l'église de Pointe-aux-Trembles, dans l'est de la métropole.

Le champ d'action du loup-garou est tributaire d'une géographie fermée. Il se déplace entre la maison, les clôtures des champs, la grange et la route. Dans les chantiers, il est toujours aux abords du camp de bûcherons. Loin des villes, il fréquente les petits villages et les campagnes environnantes. C'est un sédentaire, un habitant de l'endroit qui cherche désespérément de l'aide.

llages de Nouvelle, Saint-
Arthabaska au cœur du
et à Saint-Odilon-de-
toujours, le loup-garou
...are et dans la paroisse
...otamment l'ancienne
...e Vaudreuil. Enfin,
...llton au Nouveau-
...nte-aux-Trembles

...de ses

La Lune

Contrairement au mythe européen et anglo-saxon du loup-garou, la Lune n'a aucune incidence sur la transformation de l'homme en bête. Les garous du Québec se transforment généralement après l'heure du souper. L'homme n'attend pas la Lune ou un autre signe pour se muter en bête. Il quitte la maison ou le camp pour disparaître jusque tard dans la nuit et, curieusement, son départ coïncide avec l'arrivée d'un gros chien noir ou d'un autre animal. Lorsqu'il est possédé, il se transforme de façon répétitive, tous les soirs, jusqu'à sa libération. Comme il se change en chien qui se nourrit en rongeant des ossements ou des carcasses d'animaux, sous sa forme humaine le loup-garou saute le repas du soir et prend rarement le petit-déjeuner du lendemain.

En outre, il semble que la bête ne se montre jamais l'hiver. Quoi qu'il en soit, aucun récit étudié s'y rapportant ne fait allusion à la saison froide. Les loups-garous se manifestent au printemps, période à laquelle les cultivateurs engageaient des étrangers pour les tâches agricoles. On les aperçoit aussi pendant l'été sur le bord des routes, ce qui a pour effet d'effrayer les conducteurs de carrioles. Enfin, on les voit à l'automne lorsque les fermiers ont besoin d'aide pour les foins ou que les hommes montent au camp, dans les chantiers. Quant à l'hiver, cette période semble être un temps de dormance pour la bête, à l'instar de la nature.

Libérer l'homme de sa malédiction

Encore une fois de façon symbolique, le religieux est présent lors de la libération du loup-garou. Contrairement à d'autres mythologies, il est possible au Québec de sauver un homme de sa damnation. Naturellement, le loup-garou tend à provoquer la rencontre avec des gens qu'il connaît, c'est-à-dire ceux avec qui il partage son quotidien et en qui il a confiance. Sa seule présence sous forme animale auprès d'autrui est une demande de pardon et de délivrance. Pour bien s'acquitter de sa tâche, l'homme ou la femme désirant libérer la bête devra se munir d'un objet coupant et faire saigner l'animal sans mettre sa vie en danger.

la saignée sauve le damné

n'existe pas d'autre moyen de libérer un homme de sa malédiction que de lui « tirer du sang ». Certaines histoires précisent que la plaie doit être faite à la tête, alors que d'autres parlent plus spécifiquement du front, là où le pécheur a été marqué du signe de la croix le jour de son baptême.

Le Précieux Sang est un symbole important dans l'Église. « C'est par lui, et non par le sang des taureaux et des boucs, que nous avons été rachetés ; c'est par Son propre Sang que le Christ est entré une fois pour toutes dans le Saint des Saints, après avoir acquis une rédemption éternelle », déclare l'apôtre Paul.

Les Frères des Écoles chrétiennes ont écrit que les hommes sont teints du sang du Christ et qu'il ne faut pas effacer les marques d'une si glorieuse servitude. Dans les récits de loup-garou, l'homme qui ne marche pas dans la voie de Dieu est asservi par l'animal. C'est par le sang de sa propre blessure qu'il se voit lavé de ses péchés, qu'il reconnaît son humanité et reçoit la miséricorde de son créateur. C'est par le sang du Christ que l'humanité fut lavée de ses fautes et qu'elle put renaître dans la foi. Fort de cette image, le mythe du loup-garou au Québec est une métaphore de ce principe religieux. C'est en prenant conscience de son humanité, dans sa chair et dans son sang, que la pulsion animale devient la raison humaine et que le fautif renaît aux yeux de son sauveur.

La honte et la culpabilité meublent les premiers instants de la délivrance du loup-garou. En outre, le rescapé est toujours repentant et reconnaissant envers son libérateur, à qui il fait promettre de ne jamais révéler son identité. Ce sont ces pactes sacrés qui rendent impossible l'identification d'un ex-loup-garou.

Pour conclure…

Le mythe du loup-garou dans la tradition orale du Québec représente de façon symbolique la cruelle punition qui attend ceux qui s'éloignent des voies de l'Église. C'est un châtiment divin. Un loup-garou se promenant dans la contrée québécoise sous son aspect humain ne se remarque pas. Seule son attitude taciturne et bourrue peut faire surgir des doutes. Par contre, il en est tout autrement sur le vieux continent, où il semble être facilement reconnaissable par ses sourcils qui se rejoignent au-dessus du nez, ses ongles légèrement rouges, ses mains et ses pieds velus et un majeur particulièrement long.

Les légendes du Québec sont souvent en étroite relation avec la religion. L'Église présente une construction du monde à tendance encyclopédique qui pourra expliquer et justifier tous les mystères. La malédiction que subissent les loups-garous est une mesure de contrôle par laquelle les mauvais catholiques se retrouvent métamorphosés en bête. Le diable travaille ici pour Dieu en séparant l'ivraie du bon grain. Les loups-garous repentants et libérés de leur forme animale retournent immédiatement dans le troupeau des brebis chrétiennes. Le clergé dicte le chemin à suivre, et le pèlerin marche dans la voie tracée pour lui. Ceux qui s'écartent de cette route doivent disparaître ou y revenir repentants, voire plus fervents. La religion catholique et sa tendance au despotisme doctrinal et à l'encyclopédisme favorisent l'évolution du mythe du loup-garou à l'européenne en une entité québécoise distincte. Le personnage est adapté dans un symbole de fermeture sur soi et d'exclusion communautaire. Le message est clair : on ne peut fuir le conservatisme de l'Église et sa lourde intolérance sans éprouver, dans sa chair et dans son sang, une mutation diabolique.

En fouillant dans les dossiers de l'éminent professeur de cryptozoologie, je suis tombé sur trois définitions de pathologies ou d'états liés aux loups-garous. Ces textes devraient ainsi compléter vos connaissances sur ces créatures méconnues, et vous saurez désormais quoi faire si jamais vous rencontrez l'une ou l'autre d'entre elles…

Lycanthropie

Selon la légende antique, Lycaon était le roi d'Arcadie, et ses fils (plus de cinquante) étaient réputés pour leur impiété. Ce mépris pour la religion attira l'attention des dieux, si bien que Zeus décida d'enquêter sur ce comportement. Il s'incarna en paysan nécessiteux et demanda l'hospitalité à Lycaon. Pour vérifier si l'étranger devant lui était un dieu ou un simple mortel, le roi d'Arcadie offrit au visiteur des mets auxquels il avait intégré de la chair humaine. Zeus détecta

immédiatement l'effronterie et, pour se venger, il foudroya sur place tous les fils de Lycaon, sauf Nyctimos. Celui-ci prit la place de son père sur le trône et transforma son géniteur en loup. Lycaon fut ainsi condamné à parcourir la campagne sous sa forme animale tout en gardant ses facultés mentales d'homme.

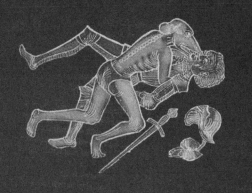

Du grec *lukanthrôpos*, la lycanthropie est aujourd'hui associée à une ancienne terminologie médicale désignant un délire dans lequel un sujet croyait être transformé en loup. Cette psychose de dépersonnalisation amenait le malade à hurler comme un loup tout en imitant sa démarche, alors que semblait s'éveiller en lui l'instinct meurtrier. Dans l'Antiquité, les médecins grecs attribuaient cette maladie à un excès de ce qu'ils appelaient « bile noire » ou « humeur noire ».

En Europe, on associa jusqu'en 1885 les victimes de la rage au loup-garou. Des symptômes comme la désorientation, l'hyperactivité, la paralysie du visage et des convulsions diverses effrayaient les populations, qui croyaient à une métamorphose bestiale des malades. Quant à la rage proprement dite, elle pouvait être transmise, comme dans le modèle mythologique européen du garou, par la morsure d'un loup.

Porphyrie

La porphyrie est une maladie héréditaire complexe et rare causée par la formation d'une quantité massive de porphyrines, molécules qui composent l'hémoglobine. Le sang humain contient des milliards de cellules chargées de transporter les gaz respiratoires, les hématies, par le biais de l'hémoglobine, qui, elle, renferme de l'hème. Finalement, ce sont les porphyrines contenues dans l'hème qui, en raison d'une déficience des enzymes, sont libérées dans le sang. Ce trouble de l'organisme provoque des symptômes qui sont attribués au mythe du loup-garou.

Une des premières manifestations de la porphyrie est l'hypersensibilité à la lumière. Les rayons du soleil combinés aux porphyrines sanguines provoquent des éruptions cutanées, des cloques. La peau perd son élasticité et se couvre de cicatrices et d'ulcères. Les patients doivent alors vivre dans la plus grande obscurité et deviennent d'une pâleur cadavérique à cause d'un manque de vitamine D. Comme les loups-garous, les malades atteints de porphyrie ne sortent que la nuit.

Il arrive que cette affection chronique entraîne de sévères troubles du comportement tels qu'une extrême irritabilité et une violence non contenue, d'où l'envie de blesser ou de mordre chez certains patients. Dans les cas de porphyrie aiguë, une dilatation de la rate cause d'atroces douleurs abdominales, ce qui explique les convulsions et les hurlements qui s'ensuivent. Ainsi, à l'image stéréotypée du garou, les personnes atteintes poussent des cris et sont agressives.

Dans plusieurs cas de porphyrie, on remarque une abondance de poils sur le corps des malades. Le duvet recouvrant la peau s'épaissit, ainsi que les sourcils. Le cas le plus frappant d'hyperpilosité congénitale demeure celui d'Adrian Jerticheff, surnommé « le chien du Caucase ». Une photo prise en 1893, conservée à la Bibliothèque nationale de France, montre un homme couvert de poils et à l'allure d'une bête.

Parfois, les lèvres et les gencives des malades se déforment, exposant davantage leurs dents. Lorsque le foie est atteint, la jaunisse se déclare et le blanc des yeux devient jaune.

Il va sans dire que cette maladie semble être à la base de l'image du loup-garou dans l'imaginaire populaire occidental.

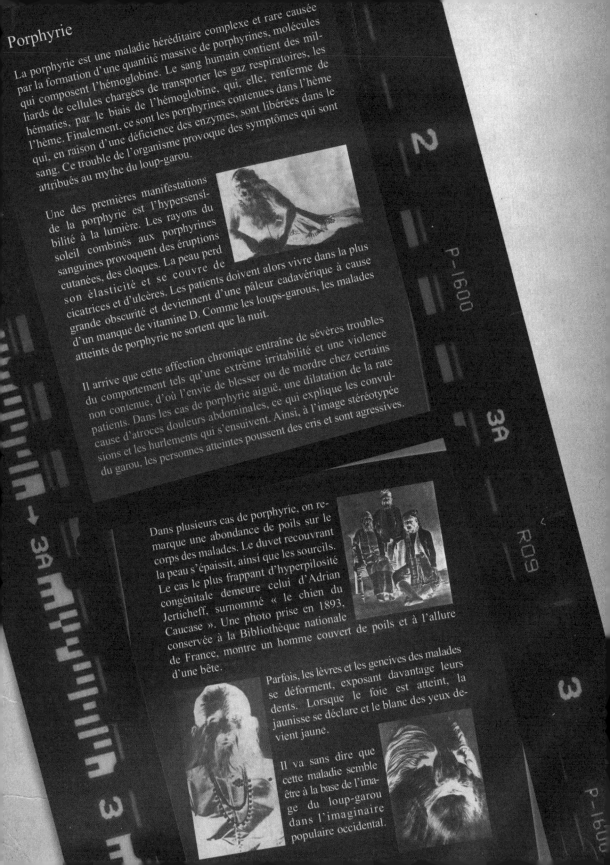

Métempsycose

La métempsycose est une transmutation de l'esprit dans un autre corps : humain, animal ou végétal. Ce terme est employé dans le langage courant comme synonyme de transmigration. Un terme qui s'applique au passage d'un être dans un autre état d'existence. À ne pas confondre avec la réincarnation, par laquelle l'esprit intègre un autre corps humain.

Quelques récits de tradition orale associent directement le loup-garou à la métempsycose : il y est question d'une boule de lumière s'échappant de la bouche d'hommes touchés par le phénomène durant leur sommeil ; dans la plupart des cas, cette boule se transformerait ensuite en bête.

Par ailleurs, des histoires provenant de la Beauce racontent qu'un homme aurait même vécu en bête. Le Beauceron se rendait fréquemment dans son clos et se couchait sur le sol, après quoi une petite lumière, son âme, jaillissait de sa bouche. Un beau jour, quelqu'un aurait tourné le corps de l'homme face contre terre. Privée de sa « porte d'entrée » buccale, la boule lumineuse ne put réintégrer le corps. Heureusement, on retourna l'homme sur le dos juste à temps pour que l'âme reprenne sa place. Toujours en Beauce, on rapporte une autre histoire de métempsycose, celle d'un homme « méchant et n'ayant pas de religion » qui avait l'habitude de s'allonger à plat ventre derrière son bâtiment. Bouche contre terre, son âme sortait et allait « courir le loup-garou ».

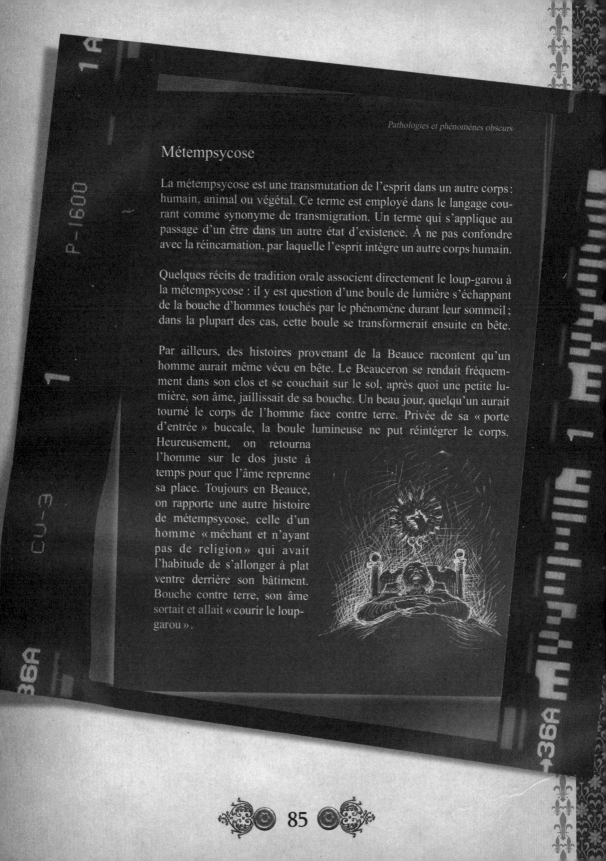

Région du Lac Kénogami

Dolbeau

Félicien

Roberval

Alma

Chicoutimi

La Baie

Forestville

Les Escoumins

Tadoussac

Fleuve St-Laurent

Trois-Pistoles

Lac
Kénogami

LE COCHON BLEU
DU SAGUENAY

Mes fréquents voyages dans le nord du Québec m'ont entraîné un jour sur les traces d'une créature fantastique dont l'apparence serait celle d'un cochon, mais un cochon hargneux, voire très agressif. Selon mes informateurs, l'animal de couleur bleue rôderait toujours dans les environs de la rivière Chicoutimi, non loin de son principal réservoir, le grand lac Kénogami.

Le dernier homme à avoir vraisemblablement aperçu la bête aurait affirmé, au moment de rendre l'âme, être jadis monté dans ce coin de pays pour y rejoindre un ami trappeur avec qui il avait rendez-vous. Le mois d'octobre tirait à sa fin et les chemins forestiers étaient gelés depuis peu. Un temps propice pour installer des pièges, avait-il alors songé en avançant sur sa monture. Une fois parvenu à la cabane de son compagnon, il s'étonna que personne ne s'y trouvât pour l'accueillir. Il n'y avait pas même un mot d'explication sur la porte. En faisant le tour du refuge, son regard fut attiré par d'étranges traces sur le sol durci ; jamais il n'en avait vu de telles auparavant et, tandis qu'il les examinait, il fut surpris par des grognements sourds émanant de la forêt obscure.

Il n'en fallut pas davantage pour qu'il enfourche son cheval et fuie cet endroit si peu rassurant. Il aurait alors été pris en chasse par une créature qui, outre son épiderme bleu et son museau effilé, avait l'aspect d'un cochon. Le stupéfiant mammifère était au moins aussi rapide que le cheval et, si notre homme n'avait pas eu la présence d'esprit de laisser tomber derrière lui un de ses pièges armés, il n'aurait pas survécu pour raconter sa mésaventure. Selon lui, la trappe se serait refermée sur l'une des pattes de la créature, qui cessa sa course dans un effroyable cri de douleur. C'est ainsi que l'homme aurait eu la vie sauve, contrairement à son ami trappeur qui, lui, n'a jamais été revu.

Or, j'ai appris qu'en l'an 1822, tout près du lieu de l'apparition du cochon bleu, un bateau aurait fait naufrage alors qu'il remontait la rivière à la recherche d'un endroit sûr pour cacher une importante somme d'or dérobé à un établissement bancaire de Québec. L'avarice aurait divisé l'équipage en deux clans qui s'entre-déchirèrent. Les derniers survivants seraient apparemment morts de froid en emportant avec eux le secret de l'emplacement du butin. Avant de mourir, l'un d'eux aurait hurlé qu'aucun homme ne mettrait jamais la main sur son bien. D'aucuns racontent aujourd'hui que le cochon serait l'incarnation de la haine et du désespoir du défunt et qu'il rôderait depuis ce jour dans les grandes forêts au sud du lac Kénogami pour veiller à ce que personne ne découvre le trésor caché.

LE MONSTRE DU LAC MEMPHRÉMAGOG

Même si sa dernière apparition remonte à une cinquantaine d'années, le monstre qui sillonne les eaux du lac Memphrémagog, en Estrie, demeure très présent dans l'esprit des riverains. Bien cachée dans les grottes sous-marines de cette étendue d'eau que l'on dit sans fond, la bête aurait l'aspect d'un grand serpent de mer. Depuis de nombreuses générations, on prétend que les Amérindiens vivant sur les rives du lac ne s'y baignaient jamais par crainte d'être dévorés tout ronds.

En consultant le site internet de Jacques Boisvert, créateur du terme "dracontologie" (et de la science qui s'y rattache), j'ai pu découvrir une apparition récente de Memphré.

Voici le récit de la dernière apparition le 18 mai 2003 par Jean Grenier.

Ce matin je suis allé à la pêche [...] sur les bords du Castle Brook qui se jette dans le lac Memphrémagog, entre l'île à l'Aigle et la première île des Trois-Sœurs, j'ai été attiré par une réflexion dans l'eau. Le lac était très calme ce matin-là, j'ai vu venir une grosse vague vers moi, c'était plutôt trois vagues massives et lorsque la vague a atteint mon petit bateau de 14 pieds, vraiment plus tard, j'ai fait une analogie, quand des bateaux sont demi-heure plus tard, j'ai senti la vague beaucoup moins forte, alors je me suis dit, la passés, j'ai déplacé un volume d'eau beaucoup plus grand qu'un bateau de 1000 à 2000 livres, pour moi l'impact de la bête était trois fois plus puissant. J'ai regardé autour de moi pour voir s'il y avait d'autres bateaux que j'aurais pu interpeller et leur demander s'ils avaient vu ce que je venais de voir, mais je n'en voyais aucun. Ce n'était pas une hallucination et c'était semblable à une baleine. La bête était noire et luisante d'environ 30 pieds et se déplaçait très lentement.

Un récit de l'écrivain et poète Norman Bingham fondé sur une légende amérindienne raconte l'histoire d'une jeune squaw qui fut tuée par son époux peu avant que ce dernier fût dévoré par un grand serpent. La bête, excitée par le goût de la chair humaine, aurait d'abord bu le sang de la défunte puis aurait nagé sous la surface de l'eau à la recherche d'autres humains pour se sustenter. C'est alors que le monstre aurait aperçu le meurtrier dans son canot et l'aurait avalé devant des dizaines de témoins.

Depuis 1890, les apparitions du monstre du Memphrémagog se sont multipliées. Chaque année, des observateurs témoignent du mouvement anormal des vagues se formant en une large ondulation qui évoque le déplacement d'un gigantesque serpent sous-marin.

The legendary Sea-Serpent of Memphremagog

Eyes saw the monster, but none saw alike
He was half serpent, half horse, some said.
While others formed him like a huge long pike
With thick, bright scales, and round, not flattened head.
Some said he innuendoes as he went
Quite snaky, with his head save four feet out,
Erected : others bet the first red cent
Should peep form ashes he sailed straight as trout
Or eel, pickerel, or plumpest thing about

William B. Bullock

"Memphré" est perçu soit comme un serpent de mer, soit comme un très ancien mammifère marin, à l'image de Nessy, le monstre du loch Ness.

« Je ne croyais pas à ça… Mon beau-frère me disait que ça flottait tous les matins à 9 heures et que ça s'en allait à midi… Il se laissait flotter au soleil, à 300 pieds (100 m) du bord, sur le lac bien calme. Un bon matin, j'ai apporté ma carabine 30. Mon beau-frère, lui, ramait à 300 pieds du bord. Ça avait l'air d'une couleuvre, grosse et longue, de 150 pieds (45 m) de long, grosse d'un pied (30 cm)… Ça avait la peau unie comme une botte, brun ou noir. Ça luisait au soleil… Je l'ai visé, mais avant qu'on puisse s'approcher à quelques pieds, ça s'est arrondi comme une couleuvre, c'est sorti à trois pieds de la surface de l'eau. Je n'ai pas vu le ventre. C'était arrondi dans le milieu. J'ai tiré un coup. Trop loin. Ça a fait une grosse houle comme un bateau qu'aurait coulé : une grosse vague… On ne l'a jamais revu. J'aurais dû tirer quand il s'est arrondi dans le milieu, comme une couleuvre… »

(Tiré de Monstres des lacs du Québec, de Michel Meurger et Claude Gagnon, Stanké, 1982.)

îles de
la Madeleine

Golfe du Saint-Laurent

Grosse-Île
Grande-Entrée
Pointe-Aux-Loups
L'Étang-Du-Nord   Havre-Aux-Maisons
L'Île-Du-Havre-Aubert

Golfe du Saint-Laurent

LE NAIN JAUNE

On raconte qu'aux îles de la Madeleine, le nain jaune n'apparaît qu'aux jeunes filles qui sont en âge de se marier. Selon des légendes anciennes, il est impatient et prompt à la menace, et parfois même à la violence, s'il n'obtient pas ce qu'il désire. Il est considéré comme un être malfaisant dont il faut fuir la présence. Toujours accompagné d'une créature aux allures de lion, il cherche en vain depuis des siècles la femme qui acceptera de l'épouser.

Le nain jaune a à peu près la taille d'un enfant de cinq ans et, comme son nom l'indique, il a une peau dorée, tout comme ses dents et ses ongles, d'ailleurs. Ses pieds palmés, son long nez et ses oreilles pointues portent à croire qu'il est de la même race que certains farfadets du sud de l'Irlande.

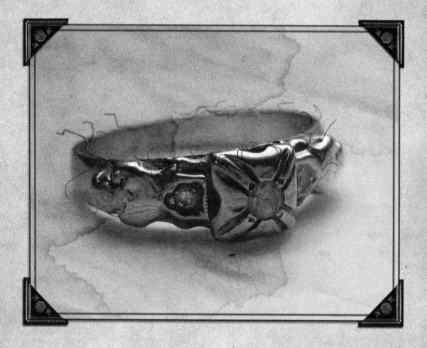

Plusieurs témoins féminins racontent qu'il transforme les poils de sa barbe en anneau de mariage et qu'il n'hésite pas à promettre mer et monde pour se faire aimer. Il prétend même connaître personnellement le roi des mines d'or de l'Anatolie et insiste chaque fois sur son immense richesse, qui dépasse apparemment les colossales fortunes de tous les cheikhs d'Arabie réunis.

Personne ne sait comment le nain jaune est parvenu un jour aux îles de la Madeleine, ni pourquoi il persiste tant à trouver une épouse. Cependant, lui demander une explication au sujet de la couleur de sa peau est l'unique façon de le faire déguerpir sans risquer de subir sa colère. En effet, l'expérience le démontre, si on lui pose la question, il s'éloigne en grommelant et en piaffant.

Korrigan
Bretagne

Farfadet
Irlande

Gnome
Pays scandinaves

Nain Jaune
Québec

LE NOYÉ DU LAC DES PILES

Des résidents du lac des Piles, en Mauricie, racontent qu'à l'été de 1946 un dénommé Pierre Auger serait tombé à l'eau au cours d'une petite excursion en chaloupe, et qu'un malaise l'aurait empêché de remonter dans son embarcation. Ses appels à l'aide auraient certes alerté quelques riverains, qui vinrent à son secours, mais un épais brouillard masquait le lac. Personne ne parvint à le localiser et le malheureux se noya.

Aprè... ...es recherches... ...
fair...
ne ...
dra...
no...
ap...
qu...
g...
...

Après plusieurs plongées infructueuses, des recherches à la dynamite furent entreprises dans l'espoir de faire remonter le corps, pourtant jamais son cadavre ne fut repêché. Dans les semaines qui suivirent le drame, un phénomène étrange se manifesta. Bon nombre de plaisanciers affirmèrent en effet avoir aperçu sous la surface de l'eau le corps d'un homme qui, bras tendus, semblait les supplier. Comme ce grand lac sans fond avait déjà la réputation de ne pas rendre ses noyés, on crut à un miracle et les recherches reprirent de plus belle, sans toutefois donner de meilleurs résultats. Puis, la rumeur enfla : on murmura que c'était l'âme de Pierre Auger qui, certains jours de grisaille, remontait à la surface en implorant sa délivrance. L'histoire se perpétua au fil des ans et les riverains maintinrent tout ce temps leurs efforts pour récupérer le corps, qui demeura introuvable.

Bien des années plus tard, un plongeur découvrit, sur le plateau d'une falaise sous-marine profonde de plus de 60 mètres, un tibia, une paire de lunettes, un étui renfermant un chapelet, un fourreau de poignard et une paire de chaussures. La sœur de Pierre Auger, aujourd'hui grand-mère, identifia le chapelet comme étant celui de son défunt frère. Mais le mystère ne s'arrêta pas là : en effet, on remarqua que l'os retrouvé avait été rongé et que la semelle d'un des souliers portait de nombreuses marques de dents. On en arriva donc à la conclusion que le corps du noyé avait été dévoré par une créature habitant de toute évidence dans les profondeurs du lac.

Malgré l'inhumation de ses restes en terre sacrée, le noyé du lac des Piles continue à multiplier les apparitions sans que personne ne comprenne rien à ce mystère.

3 m

En fonction des traces de morsures sur l'os de M. Auger et de certains témoignages, nous avons pu établir un portrait-robot de la bête. À mi-chemin entre le brochet géant et un lépisosté osseux, on pense qu'elle pourrait atteindre les 3 mètres !

Baie-Trinité

Fleuve Saint-Laurent

Sainte-Anne-des-Monts

Golfe du Saint-Laurent

qui

Percé

Chandler

Addington

Paspédiac

Caraquet

Bathurst

Itinéraire
du trois-mâts
hollandais

Miramichi

Percé

N E
O E
S

LE ROCHER PERCÉ

Plusieurs légendes caractéristiques de concerne ce rocher le gaspésienne. Lé mais nulle histoire ne s'avère si ce drame.

Fragment d'une lettre d'un missionnaire jésuite à un jeune prêtre désirant s'établir en Nouvelle-France.

l'histoire de ce rocher est liée au destin de cette malheureuse fille. Marguerite de Beaumont était ma voisine, à Rouen en Normandie. Une bonne amie de la famille que j'ai perdue en allant étudier au séminaire. Plus tard, nous nous sommes retrouvés sur le même bateau, aux sens propre et figuré. Elle avait seize ans, moi vingt.

Mais avant que je te raconte son histoire, tu dois savoir que ce pays que tu convoites tant est très hostile. Cette Nouvelle-France est la terre du diable. Au printemps, il y a des nuées de moustiques, des nuages de bêtes sanguinaires qui vous arrachent la peau avec leur dard. Il y en a tellement qu'on dirait de la pluie vivante. L'hiver est terrible. Il suffit de mettre le nez dehors pour être instantanément gelé sur place. Sans compter les animaux sauvages qui guettent la viande fraîche. Derrière chaque arbre, chaque pierre, ils fixent leur proie, les crocs sortis et l'œil brillant. Le démon lui-même se promène dans les bois. Il a deux immenses cornes tordues et pousse d'horribles cris. Et les loups… ! Des mangeurs d'enfants aux dents effilées comme des couteaux. La nuit, on les entend faire leur cérémonie à Belzébuth. Et ce n'est pas tout, les Indiens… les Iroquois… ! Ils scalpent les missionnaires et les font brûler vivants. Tous meurent dans d'horribles souffrances au son des tambours de guerre. C'est une terre de malheur et de mort, que je te déconseille fortement. L'histoire de Marguerite de Beaumont en est bien la preuve.

La jeune fille est partie de Dieppe quelques jours après son seizième anniversaire. La petite Normande s'est embarquée à bord du Dauphin pour se rendre en Nouvelle-France. Le marquis de Vaudreuil, son nouveau seigneur, ainsi que le chevalier Raymond de Nérac l'attendaient. Seulement, un malheur arriva. Le bateau fut abordé par un trois-mâts hollandais. La petite caravelle n'avait aucune chance. Marguerite fut dépossédée de ses biens et… de sa vertu, plusieurs fois d'ailleurs.

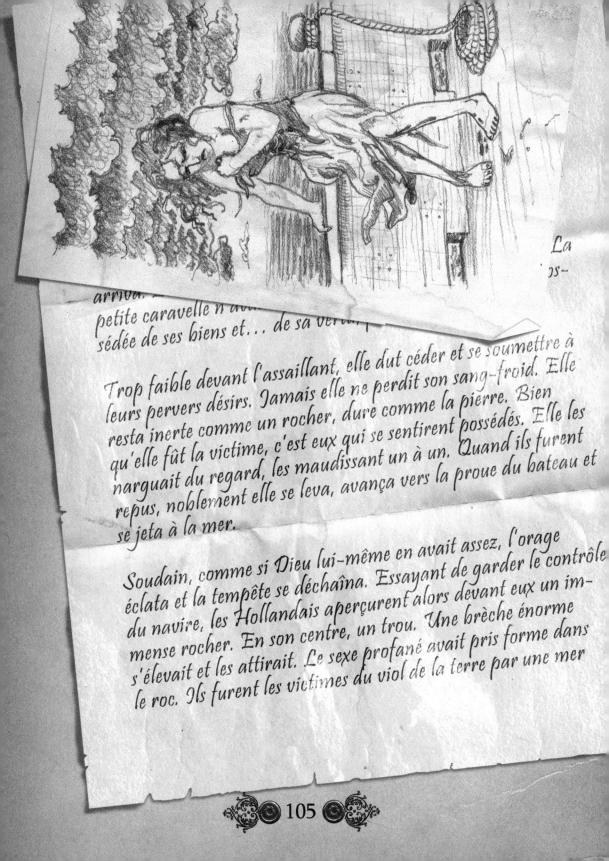

La
os-

arriva...
petite caravelle n...
sédée de ses biens et... de sa ver...

Trop faible devant l'assaillant, elle dut céder et se soumettre à leurs pervers désirs. Jamais elle ne perdit son sang-froid. Elle resta inerte comme un rocher, dure comme la pierre. Bien qu'elle fût la victime, c'est eux qui se sentirent possédés. Elle les narguait du regard, les maudissant un à un. Quand ils furent repus, noblement elle se leva, avança vers la proue du bateau et se jeta à la mer.

Soudain, comme si Dieu lui-même en avait assez, l'orage éclata et la tempête se déchaîna. Essayant de garder le contrôle du navire, les Hollandais aperçurent alors devant eux un immense rocher. En son centre, un trou. Une brèche énorme s'élevait et les attirait. Le sexe profané avait pris forme dans le roc. Ils furent les victimes du viol de la terre par une mer en furie et s'écrasèrent de plein fouet sur le rocher. Et malgré les cris, les pleurs, les supplications et la détresse, le rocher resta froid et dur, sans pitié. Tous moururent sauf… moi. Dieu laisse toujours un témoin pour raconter ses actes et évoquer l'ampleur de sa puissance. J'étais prisonnier sur le bateau, j'ai tout vu.

Tous ceux qui voient ce morceau de terre, ce rocher percé par la haine des vagues au centre de l'eau, fier et inébranlable, savent bien que l'esprit de Marguerite habite ce lieu. De jour comme de nuit, on entend sa voix hurler vengeance à travers les cris des mouettes. De grands oiseaux blancs à tête blonde, symbole de sa pureté, vocifèrent sans cesse l'innocence outragée.

En espérant avoir répondu à tes questions.

Mes amitiés à toi et à ton père.

Hubert des Vosques
23 mai 1665

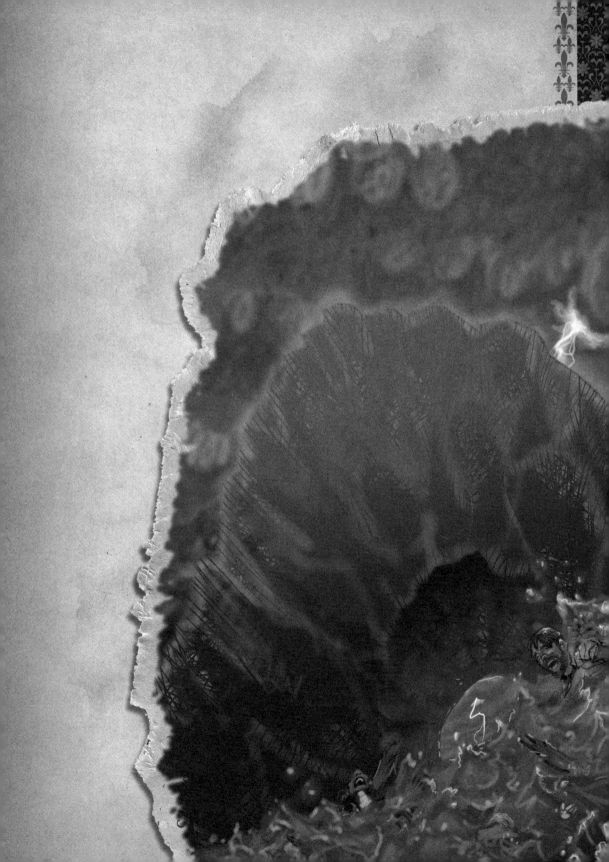

Sault-au-Récollet
(près de l'île de
la Visitation)
Laval
Montréal

Sault-au-Récollet

LE SAUVAGE MOUILLÉ

Certains soirs, on raconte qu'il est possible d'apercevoir, près du Sault-au-Récollet en remontant la rivière des Prairies, un Amérindien complètement

trempé qui, accroupi près d'un feu de camp, tente désespérément de se réchauffer. Ses longs cheveux et ses vêtements de peaux dégoulinants, il demeure immobile telle une statue de pierre et refuse d'adresser la parole à quiconque. Les téméraires qui se sont approchés de lui s'entendent tous pour affirmer que le feu de cet Indien n'émet aucune fumée et ne donne pas la moindre chaleur. De plus, toutes les gouttes qui suintent de ses vêtements disparaissent avant de toucher terre.

La légende veut que ce sorcier amérindien ait assassiné un père missionnaire particulièrement bon du nom de Viel ainsi que son protégé, un jeune et valeureux guerrier autochtone nommé Ahuntsic. Ces deux hommes, qui voulaient établir une paix durable entre les nations amérindiennes et les communautés européennes nouvellement installées à Hochelaga, déplaisaient énormément à certaines tribus iroquoises. C'est pendant une expédition en juin 1625, alors qu'un cortège de canots d'écorce remontait la rivière près du Sault-au-Récollet, que le sorcier et ses hommes en auraient profité pour attaquer le père Viel et son compagnon. Prises par surprise, les victimes n'auraient pas eu le temps de se défendre. Les Iroquois enragés pillèrent le cortège et mirent la main sur de précieux barils d'eau-de-vie. On dit que le sorcier, pour fêter sa victoire, aurait présidé une lugubre cérémonie au cours de laquelle il démembra l'homme d'Église à coups de hache. Il l'aurait ensuite jeté, morceau par morceau, dans les rapides de la rivière des Prairies. Comme il terminait sa basse besogne, le meurtrier aurait perdu pied et serait tombé à son tour dans la rivière avec ses victimes.

Frappée de la malédiction divine pour l'atrocité de ses actes, l'âme du sorcier serait depuis ce jour condamnée à grelotter sur les rives du rapide. Il est toujours possible de l'apercevoir, trempé et frissonnant, par les soirs sans lune où une lourde brume enveloppe le tumulte des eaux.

Bien qu'elle soit très impressionnante pour les témoins, cette apparition demeure tout à fait inoffensive. À ce jour, on ne rapporte aucune agression de la part du spectre du sorcier iroquois, que l'on appelle le « sauvage mouillé ».

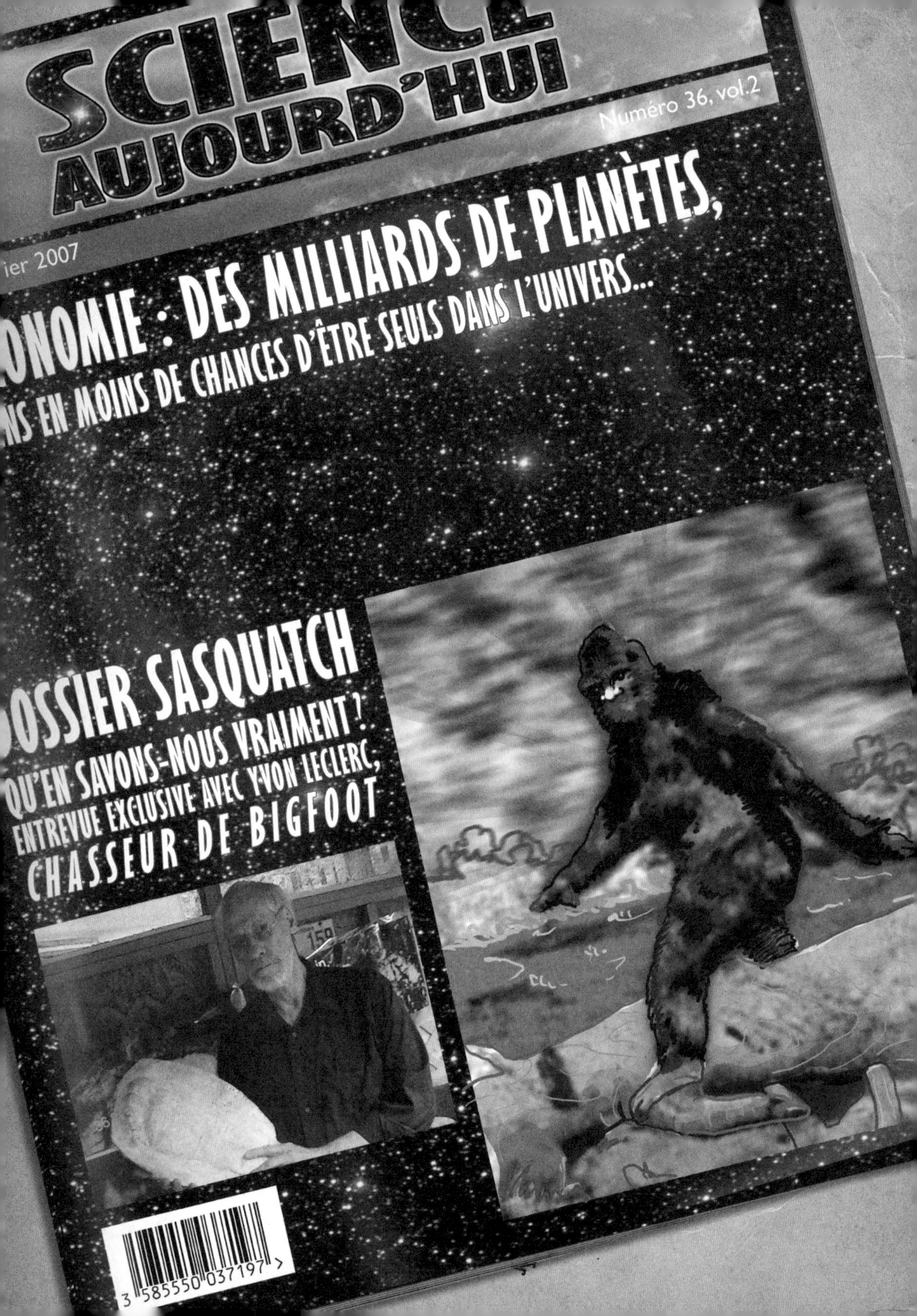
SCIENCE AUJOURD'HUI
Numéro 36, vol.2
ier 2007
ONOMIE : DES MILLIARDS DE PLANÈTES,
NS EN MOINS DE CHANCES D'ÊTRE SEULS DANS L'UNIVERS...
OSSIER SASQUATCH
QU'EN SAVONS-NOUS VRAIMENT ?
ENTREVUE EXCLUSIVE AVEC YVON LECLERC,
CHASSEUR DE BIGFOOT
3 585550 037197 >

Yvon Leclerc

CHASSEUR DE *BIGFOOT*

Depuis 1990, Yvon Leclerc s'intéresse véritablement aux big-foots. Il se décrit lui-même comme un généraliste dans le monde de la science, mais qui possède toutefois un œil de spécialiste pour les empreintes fossilisées. C'est lors d'un voyage à Magog, à l'invitation de son ami Jacques Boisvert, dracontologue, qu'il a vu pour la première fois des photos des traces de la mystérieuse créature. Sceptique, mais considérant que le devoir d'un scientifique est d'abord d'aller voir avant de conclure à l'imposture, il fut secoué par le nombre d'éléments positifs (des preuves mécaniques et des traces ostéologiques évidentes sur les photos) qui démontrent bien que la « chose » qui a laissé ces empreintes lui semblait bel et bien vivante. Partant de Magog avec les dossiers, Yvon a essayé de démontrer la supercherie, mais en vain. Obligé de conclure que le dossier était très sérieux, Yvon Leclerc a décidé de prendre contact avec l'anthropologue Groves Krantz, Ph. D., de l'Université de Washington, et de comparer son travail avec les empreintes de Bossburg de 1969. Les empreintes étaient de même dimension (18 pouces), la seule différence étant que le spécimen de Bossburg avait un pied infirme. Il n'en fallait pas plus pour convaincre Yvon Leclerc de devenir chasseur de bigfoot.

DOSSIER SASQUATCH

Jacques Boisvert et Yvon Leclerc, chercheurs respectivement du monstre du lac Memphrémagog et des sasquatchs américains.

Bernard Heuvelmans, Ph. D., fondateur de la cryptozoologie.

CRYPTOZOOLOGIE

Cryptozoologie : désigne l'étude des animaux cachés. Cette science, non reconnue par la communauté scientifique en général, tente d'étudier objectivement le cas des animaux de légende en comparant les récits à travers les âges. Cette approche tend à prouver ou à infirmer leur existence réelle. L'absence de preuves tangibles empêche la cryptozoologie d'être légitimement reconnue comme une science. Le Belge Bernard Heuvelmans, Ph. D., zoologue, est considéré comme le père de cette nouvelle discipline grâce à ses ouvrages publiés, dont *Sur la piste des bêtes ignorées*. Fait intéressant, le Québec a été le premier pays francophone à reconnaître, par l'intermédiaire de l'Office de la langue française, les mots « cryptozoologie » et « dracontologie » comme les termes justes à utiliser lorsque l'on parle de ces phénomènes. C'est Jacques Boisvert, de Magog, qui a fait les démarches pour faire reconnaître ces deux termes. Le mot « dracontologie » s'appliquerait plutôt aux monstres marins ou lacustres.

Nous vous offrons ici une entrevue exclusive d'Yvon Leclerc effectuée par nul autre que Bryan Perro.

Bryan – Yeti ou bigfoot, Yvon ?
Yvon – Le bigfoot est typique de l'Amérique du Nord. On parle aussi de sasquatch, mais en fait, c'est la même chose. Quant au yeti, il se situerait davantage vers l'Asie, c'est-à-dire au Népal, dans les montagnes de l'Himalaya. J'ai travaillé aussi sur un dossier de créatures similaires en Indonésie avec l'anthropologue Collins Grove, Ph. D., et chaque région du monde le désigne par une appellation différente, mais est-ce la même espèce ? Nous n'en savons rien. Logiquement, si une espèce a survécu jusqu'à aujourd'hui, pourquoi pas deux ou trois autres ?

Bryan – Et le yeti de l'Himalaya, vous y croyez ?
Yvon – La science n'est pas basée sur des croyances, plutôt sur des faits. Toi, te promènerais-tu dans la neige, nu-pieds, à trois mille mètres d'altitude ? Il n'y a pas beaucoup d'hommes qui feraient ça non plus, alors pourquoi je trouverais leurs empreintes ? Il y a des phénomènes comme ça qui existent… c'est facile de dire que c'est un humain qui laisse des empreintes en espérant que quelqu'un passe par là et les découvre. Lorsqu'on fait de fausses empreintes, c'est pour que les gens les trouvent… non ?

Concernant ces fameuses empreintes dans la neige, l'anatomiste Wladimir Tschernezky, Ph. D., a rencontré Shipton, qui avait des photos, et il a fabriqué une réplique en plâtre de ce qu'il a pu observer. Ces travaux ont été publiés par la plus prestigieuse revue de science, *Nature*. J'en ai obtenu une copie et j'ai pu refaire le travail que l'anatomiste avait effectué dans les années 1950. Ce qui est intéressant dans ces études, c'est que l'anatomiste est un scientifique sérieux et reconnu par ses pairs, et s'il s'agissait d'empreintes humaines, il l'aurait vu immédiatement, puisque cette espèce semble assez courante, je pense…

En général, le milieu scientifique dit : « Vous n'avez jamais de preuves », mais quand nous en avons enfin, ces gens se moquent et refusent de les regarder.

Yvon Leclerc

DOSSIER SASQUATCH

Bryan – Mais les traces ne constituent-elles pas une preuve pour la science ?

Yvon – Oui, pensons aux policiers qui arrêtent et condamnent des criminels avec une simple empreinte de pouce ou de semelle. Pourquoi ? Ils ont des catalogues et une méthodologie qui a fait ses preuves. La cryptozoologie n'en est pas là. Cette nouvelle discipline doit se structurer, comme toutes les sciences. D'abord, établir un inventaire des faits et des preuves disponibles, fabriquer un catalogue, comme les corps policiers. Se mettre d'accord sur la méthodologie qui a fait ses preuves dans les sciences dites « reconnues », telle que l'étude des empreintes fossiles en paléontologie. Il faut établir des normes de qualité des empreintes recueillies afin de valider ou d'invalider hors de tout doute. C'est à ces conditions que le domaine de la science plus conservatrice commencera à s'y intéresser. Il va sans dire que l'authenticité d'une empreinte qui possède des traces de peau du spécimen devrait être plus facile à établir, car les scientifiques consentiront à étudier ces traces. Je travaille présentement à mettre au point une méthode scientifique pour différencier le vrai du faux. Tu vois, j'ai vu exactement la même chose en paléontologie. Dans les études d'empreintes fossiles, il n'y avait aucune méthode jusqu'en 1989. C'est Bill Sarjeant, Ph. D. de l'Université de Saskatoon, avec qui j'ai

Dessin du Dr Wladimir Tschernezky à partir d'un témoignage.

travaillé, qui a proposé une première approche unifiée pour l'étude des empreintes fossiles. Tout le monde avait sa propre méthode. À cette première approche du Dr Sarjeant, j'ai ajouté une méthode d'étude en trois dimensions et une méthode de frottis scientifiques qui permettent de voir l'équivalent d'une radiographie dans certains cas de moulages d'empreinte, en plus de faire comprendre la démarche de la créature qui a laissé ces empreintes.

Interprétation sculptée de l'empreinte du Népal photographiée par Shipton.

Bryan – Existe-t-il des récits de rencontre avec le bigfoot au Québec ?

Yvon – Oui, une trentaine. En réalité, il y en a eu plus que ça, mais seulement une trentaine sont intéressants, avec des informations qui se recoupent. Lorsque j'ai entrepris ma chasse au bigfoot et commencé à recueillir des éléments de preuves et des récits, il n'y avait à peu près personne qui voulait parler, de peur de faire rire de soi. Après plusieurs conférences et entrevues dans les

Reconstitution d'Yvon Leclerc.

médias, les gens ont pris confiance, et ils m'ont raconté des choses presque incroyables dans certains cas. Entre ce qu'ils ont vu et la réalité, il y a parfois beaucoup de marge. À la suite d'une conférence au Saguenay, il y a eu deux couples, plus une cinquième personne de Saint-Félix-d'Otis ; ils ne se connaissent pas, ils ne connaissent pas le bigfoot, mais tous me donnent les mêmes descriptions, les mêmes informations sur leur rencontre avec la créature. Cette dernière était assise au bord de la route, leur faisait dos, et elle s'est retournée vers eux, la tête et les épaules en un seul bloc. Lorsque tu connais un peu le sujet, ce sont des détails trop précis, et il faut prendre ça au sérieux.

Bryan – En quoi est-ce un détail important ?

Yvon – Chaque animal a sa façon de se mouvoir et de se déplacer, il est dépendant de son anatomie. Prenons le gorille, il ne se déplace pas comme un homme et pourtant il a un squelette similaire. Mais il est différent, ce qui fait qu'il a de la difficulté à marcher debout. Quand des descriptions ont des concordances aussi marquées, il faut les noter et essayer de trouver des empreintes ou d'autres faits qui prouvent les dires, ou du moins s'en rapprochent. La collecte de récits doit aussi être comparée avec des récits compilés aux États-Unis ou ailleurs, ce qui leur donne une meilleure crédibilité.

Bryan — Existe-t-il d'autres témoignages crédibles ?

Yvon — Oui. À Gracefield, en Outaouais, un homme l'a vu vers les onze heures du soir. J'ai parlé à sa femme, qui m'a dit qu'il était rentré à la maison, blanc comme un drap. C'est elle qui m'a téléphoné afin que je parle à son mari ; il m'a accordé une entrevue. Il était en automobile, puis il a aperçu quelqu'un marcher au bord de la route. Comme il y avait une petite neige fine qui tombait, il a ralenti son véhicule en se disant que c'était peut-être une personne qui avait besoin d'aide. À environ cent cinquante pieds avant de l'atteindre, il s'est aperçu qu'il s'agissait d'un animal au moment où ce dernier a fait un bond dans les airs pour se mettre dos à lui. Le lendemain, l'homme est retourné au même endroit et il a vu dans la neige des traces de pieds d'environ vingt-deux pouces de long.

Bryan — Y a-t-il des gens qui ont pu voir le bigfoot de face, dans le blanc des yeux ?

Yvon — Oui, à Saint-Fulgence ! Mais je te dis ça sous toute réserve. Il faudrait que je vérifie le lieu exact. Peu importe, c'est un couple qui séjourne à son chalet. Comme ils sont à regarder dehors, ils aperçoivent une espèce de gorille qui les fixe avec des yeux rouges, rouges, rouges… Eh bien, il existe beaucoup de récits allant exactement dans le même sens, et pas juste au Québec, aux États-Unis

> « Il ressemblait à un singe de 4 pieds de haut (1,20 m), sauf que ses yeux étaient profondément enfoncés et que sa tête était pointue au sommet. Sa couleur était grisâtre. L'homme des neiges se retourna, émit un long sifflement, et disparut. »
>
> *Le père du sherpa Tensing Norkay, 1953, sur le Barun près du Makalu, à 8 000 mètres d'altitude.*

aussi. Écoute, ça va même jusqu'à l'explorateur Pierre-Esprit Radisson qui raconte, en 1665 environ, qu'il a vu un animal, environ de la grosseur d'un ours, qui lui tirait des pierres. On m'a dit que dans les écrits des jésuites on trouvait des récits semblables. Tu le sais comme moi, un ours n'est pas arrangé pour jeter des pierres. On a également des récits amérindiens qui racontent exactement la même chose ! Donc, tu vois, il y a des comportements similaires, des descriptions similaires, et à différentes époques.

Ici, au Québec, on a peur de faire rire de nous ! À Shawinigan, un gars aurait vu quelque chose, mais il refuse de me rencontrer. Il a peur qu'on se moque de lui. Quand l'affaire des Monts-Valin s'est produite (un inspecteur de coupes qui a vu des traces), les journaux en ont parlé, et là, les gens ont commencé à me téléphoner. Il y avait enfin quelqu'un à qui ils pouvaient s'adresser en toute confiance !

Bryan – Moi, je me promène beaucoup dans le bois, et je n'en ai jamais vu…
Yvon – À ton chalet, pourrais-tu me dire si le fond du ruisseau est en sable, en galets ou en pierres ? De chaque côté du ruisseau, on y voit du sable, de la pierre, des herbes ?
(Hésitation de la part de Bryan.)
Tu vois, il faut que tu y penses comme il faut, et encore tu n'en es pas sûr… Nous ne sommes pas habitués à observer correctement les choses autour de nous.

Combien de fois as-tu vu un ours, un chevreuil ou un orignal ? Selon les statistiques du Québec de 1999, il y avait 60 000 ours, 325 000 chevreuils et 80 000 orignaux. Essaie de penser au nombre de fois que tu as vu un de ces animaux, c'est rare que tu en voies un, et pourtant on parle de presque 500 000 bêtes qui se promènent dans nos forêts. Si tu réfléchis à l'espèce que tu as vue

le plus souvent, c'est probablement le chevreuil, et pour cause. Maintenant, si tu vas te promener la nuit dans le bois, tu en verras encore moins. De ces animaux, on connaît le comportement et le milieu ; comment tu expliques que de bons chasseurs reviennent bredouilles malgré leur savoir ? Combien de fois as-tu trouvé un panache de cervidé ou un crâne d'animal ?

> « On pourrait doubler facilement [le nombre de témoignages] si le public pouvait s'exprimer sans avoir peur du ridicule. »

Savais-tu que le groupe de scientifiques qui a reçu des milliers de récits de tout genre en a catalogué presque 3 000 en Amérique du Nord ? Fait intéressant, les endroits où des universités ont un projet de recherche en cryptozoologie concernant le bigfoot sont les régions où l'on dénombre le plus de récits. Californie : 343 ; Washington : 286 ; Oregon : 176 ; Idaho : 32. Et dans les régions où le sujet est encore tabou, les récits sont très peu nombreux. Le Québec en compte 26, l'Ontario, 25 et les Maritimes 0.

Les gens ne sont pas en confiance et ne veulent pas faire rire d'eux. On pourrait doubler facilement les chiffres si le public pouvait s'exprimer sans avoir peur du ridicule.

Ces animaux sortent surtout la nuit et sont très peu nombreux, peut-être cent dans tout le Québec. Les rencontres ou les traces sont généralement dans des endroits éloignés des villes, ça se comprend. S'il a survécu jusqu'à aujourd'hui, c'est que le bigfoot a appris à se cacher et à se tenir loin de la civilisation. Souvent, dans les forêts qui n'ont jamais été coupées, et qui de nos jours reculent de plus en plus vers le nord, le bigfoot ne se déplace pas à l'intérieur du bois : les ruisseaux sont des autoroutes pour lui. Pourquoi un animal qui fait six, sept, dix pieds passerait à travers les branches ? C'est pour ça que les empreintes qu'on découvre sont souvent au bord des ruisseaux et sont peu nombreuses. À l'occasion, on trouve des pistes là où sont passées les débusqueuses, qui leur ont fait de beaux grands chemins à travers la forêt.

Plus de 3 000 récits ont été rapportés depuis cent ans en Amérique du Nord et sont considérés comme concordants. Ces histoires continuent à être mises en doute par la communauté scientifique conservatrice, qui fait bien attention de ne pas se déplacer pour étudier les phénomènes rapportés.

Bryan – On n'a jamais trouvé de restes de l'animal ?

Yvon – Oui, on a trouvé une mâchoire inférieure en Chine. Les anthropologues sérieux reconnaissent l'existence du *Gigantopithecus*.

Le *Gigantopithecus* faisait plus de deux fois la taille du plus grand des gorilles actuels, pesait près d'une tonne et mesurait près de trois mètres de haut. On a retrouvé des traces du plus grand de tous les singes à avoir jamais existé dans les forêts du sud de la Chine et du nord du Vietnam. En fait, le tout premier reste attribué à *Giganto* fut une banale dent, identifiée à Hong Kong par un collectionneur de fossiles allemand en 1935.

Source : Agence Science-Presse, 12 janvier 2006

Le bigfoot serait simplement le survivant de cette race de primates supérieurs, selon certaines théories avancées par des anthropologues tels que Groves Krantz, Ph. D. Pour la majorité des scientifiques, c'est difficile à accepter parce que ça dérange beaucoup de théories de l'évolution des espèces.

« Cette créature, dont la démarche était à la fois allongée et légèrement bondissante, se servait tantôt de ses quatre pattes, tantôt de celles de derrière seulement ; sa taille était d'environ 1,40 m, et sa peau apparaissait couverte de poils gris. »

Le prieur du temple de Pang-botchi, Everest, 1953.

Bryan – Personnellement, avez-vous souvent vu des empreintes de bigfoot ?
Yvon – Après le cas des Monts-Valin, je suis retourné sur les lieux trois ans de suite. Et on a trouvé d'autres traces de ce que je pense être la femelle. La bête marchait dans la mousse et elle a emprunté un chemin de débusqueuse pour éviter un obstacle. Dans ce secteur déterminé, on a six sites d'empreintes et j'ai déterminé qu'il y aurait probablement une famille vivant sur le territoire. Ce que l'on croit être la femelle a laissé des marques de pieds dont l'un a une protubérance près du gros orteil.

Bryan – Dites-moi, qu'est-ce qui nourrit votre intérêt pour le sujet ?
Yvon – C'est que je veux savoir ! S'il y a de la fraude, je veux essayer de le prouver. Si c'est vrai, je veux aussi le prouver ! J'ai été amené au bigfoot grâce aux empreintes fossilisées, car c'est un peu la même démarche dans l'analyse des preuves. On se pose la question suivante : à quoi ressemble l'empreinte d'un animal que l'on n'a jamais vu ? Parce que c'est ça la question ! De toute façon, les gens au Québec sont tellement sceptiques que si j'arrivais avec le corps complet d'un bigfoot, on ne me croirait quand même pas ! Une découverte bouleverse toujours les choses établies. Si nous ne faisons pas de recherche, nous risquons de passer à côté d'une découverte.

DOSSIER SASQUATCH

Le fantastique a toujours fasciné l'homme, c'est probablement le côté enfant qui nous reste.

En l'an 2000, les scientifiques du monde entier ont décidé de faire l'inventaire des océans. Depuis, ils ont découvert en moyenne trois mille nouvelles espèces par année. Quand on écoute les grands prêtres de la connaissance, ils essaient de nous faire croire que tout a été trouvé. Un récit intéressant : un jeune spécialiste des poissons ne trouvant pas de fonds de recherche décide d'aller en Amazonie passer quelques années. Son travail de recherche consistait à se lever à 4 heures du matin pour aller au marché aux poissons, et il a acheté tous ceux qu'il ne connaissait pas. En deux ans, il a inventorié plus de deux cents nouveaux poissons que la communauté scientifique ne connaissait pas, mais tous les gens sur place les mangeaient depuis des générations, donc ils portaient déjà un nom. Mais ce n'était pas du latin probablement… Ah ! ■

Rivière Saint-Maurice

Rivière des
Outaouais

Zone entre
la Saint-Maurice
et l'Outaouais

LES JACKS MISTIGRIS

Créatures des profondes forêts, les jacks mistigris occupent le territoire situé entre la rivière Saint-Maurice et l'Outaouais. C'est à la nuit tombée, toujours en bande et en exécutant une danse infernale, qu'ils apparaissent. Sautant, roulant, culbutant, grimaçant, piaillant, ruant et gigotant, ces créatures squelettiques se font craquer les os en adoptant des positions grotesques et obscènes. Cul par-dessus tête, marchant sur leurs mains ou rampant comme des agonisants, leur apparition est toujours à glacer le sang.

cks mistigris sont de toutes ailles et de tous peuvent être tout p ille d'un homme dus et d

être homme. Il tordus et des cornus,

Les jacks mistigris sont de toutes tailles et de tous gabarits. Ils peuvent être très petits ou dépasser amplement la taille d'un homme. Il en existe des ventrus, des bossus, des tordus et des cornus, et la plupart ont une tête de bœuf, des bois de caribou, un corps de serpent et des pattes de poule pourvues de longs ergots. Mi-hommes mi-animaux, ces créatures d'un autre monde peuvent aussi être recouvertes d'un plumage, être munies de pattes de grenouille ou se déplacer à huit pattes comme de grosses araignées. Leur haleine, d'une puanteur à faire défaillir le plus solide des explorateurs, peut être sentie de très loin, signalant ainsi leur présence dans les environs.

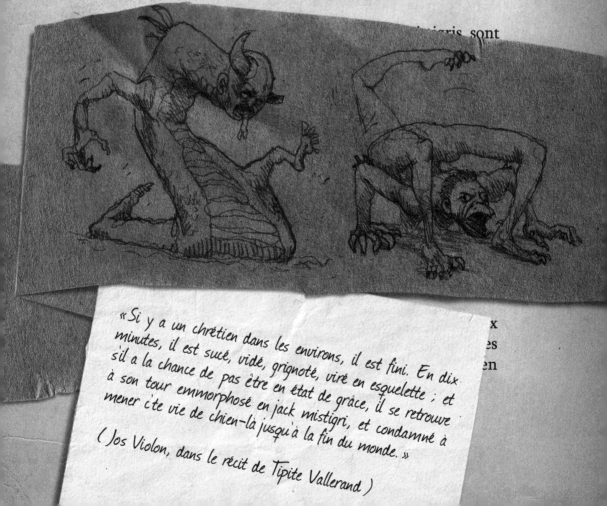

« Si y a un chrétien dans les environs, il est fini. En dix minutes, il est sucé, vidé, grignoté, viré en esquelette ; et s'il a la chance de pas être en état de grâce, il se retrouve à son tour emmorphosé en jack mistigri, et condamné à mener 'te vie de chien-là jusqu'à la fin du monde. »

(Jos Violon, dans le récit de Tipite Vallerand)

Les témoins de l'apparition de jacks mistigris sont rares, puisque la plupart de ceux qui ont eu le malheur de les croiser y ont laissé leur peau. On raconte que ces monstres peuvent avaler une victime en moins de dix minutes et que, si les âmes des hommes pieux gagnent ensuite le paradis, celles des mécréants se joignent à la bande des damnés pour danser jusqu'à la fin des temps.

Les plus chanceux, qui ont échappé de justesse aux griffes des jacks mistigris, rapportent que toutes les nuits depuis leur terrible rencontre, ils revoient en rêve les danses occultes de ces damnés de la forêt.

Zone approximative délimitant la luxuriante Vallée du Saint-Laurent

Région de Québec

Région de Trois-Rivières

Région de Montréal

Vallée du Saint-Laurent

LES LUTINS

On trouve les lutins dans la plupart des communautés agricoles de la vallée du Saint-Laurent. Ces petits êtres de la taille d'un enfant de deux ans sont facilement reconnaissables à leur œil unique situé, comme les cyclopes, en plein centre du front. Ils ont un ventre bombé à l'allure d'une tomate bien mûre, des

pattes de grenouille palmées et sont coiffés d'un grossier bonnet rouge surmonté d'un grelot qu'ils portent hiver comme été. Il est à noter qu'ils ont la capacité de se déplacer facilement dans les ténèbres en utilisant un faisceau lumineux qui émane, telle une lampe de poche, de leur gros œil rond.

Ces petites créatures nocturnes adorent les chevaux. On raconte qu'à la tombée du jour les lutins entrent dans les granges des cultivateurs qui possèdent les plus belles bêtes. Ils choisissent alors un cheval et lui tressent la queue pour pouvoir lui grimper dessus, puis en font de même avec la crinière de l'animal et s'y accrochent solidement avant de partir en balade dans la nuit. À l'aube, quand les lutins reviennent, ils remercient le cheval en le brossant soigneusement et disparaissent avant les premiers rayons du jour.

Pour se débarrasser de ces petits êtres envahissants, il suffit de placer un bol plein de riz dur ou d'avoine non cuite tout près des stalles, dans l'écurie. Inévitable-ment, les lutins le renverseront et, par souci de ne pas laisser la moindre trace de leur passage, ils s'attelleront à la tâche de remplir le bol grain par grain. Cette corvée les occupera toute la nuit et les empêchera de partir au galop, si bien qu'après trois nuits d'un tel traitement, les lutins frustrés iront s'établir dans la grange du voisin pour y assouvir leur passion.

Il est aussi possible d'éviter leur présence indésirable en plaçant sur le toit de la grange une girouette en

forme de cheval qui fait office de talisman. L'infaillibilité de cet instrument protégera alors toute la propriété du cultivateur de ces détestables petits intrus.

Les plus récents témoignages d'apparition de lutins proviennent de la Montérégie. Il semble que les nouveaux développements immobiliers dans cette région aient forcé ces petites créatures à migrer vers le sud et l'est du Québec, abandonnant ainsi aux marmottes et aux mouffettes leurs demeures autour des villages existants.

Fleuve Saint-Laurent

Baie-Trinité

Île d'Anticosti

Sainte-Anne-des-Monts

Amqui

Gaspé

Percé

Chandler

Addington

Paspédiac

Caraquet

Bathurst

Miramichi

Endroits où les belles furent aperçues

O

E

S

Golfe du Saint-Laurent

LES SIRÈNES DU GOLFE DU SAINT-LAURENT

Il existe à l'embouchure du fleuve un petit groupe de jeunes sirènes qui eurent un jour la malchance de s'égarer alors qu'elles voyageaient en banc. Elles avaient pris la direction de la Méditerranée en compagnie de leurs aînées pour rejoindre ensuite leurs demeures situées en mer Rouge. Ces créatures à la tête et au torse de jeune femme, avec une queue de poisson, sont désormais perdues entre les îles de la Madeleine et l'île d'Anticosti. C'est ainsi que l'on peut voir parfois ces ravissantes reines des mers s'approcher des bateaux de pêcheurs gaspésiens en espérant qu'un capitaine consentira à les conduire jusque chez elles. Leurs chants ont la même douceur enivrante et leurs gestes sont tout aussi gracieux et envoûtants que leurs semblables des mers. Les témoins de leurs apparitions prétendent qu'elles ont la peau de la couleur du flétan, une chevelure très fine leur tombant à la ceinture et que, sous le soleil, on la croirait recouverte d'une pellicule d'or.

Les marins racontent que l'une d'entre elles se glissa un jour sur le pont d'un navire et qu'elle demanda à un pêcheur de lui ôter, avec son canif, les sangsues qui couvraient la grande nageoire de sa queue. Le pauvre homme en tomba éperdument amoureux et, oubliant femme et enfants, se lança à l'eau derrière elle pour aller la rejoindre. On ne le revit jamais.

Plusieurs pêcheurs ayant résisté aux charmes des
sirènes du golfe du Saint-Laurent reviennent néanmoins au port en chantonnant cette vieille com-
plainte de marins :

Moi, je suis un pauvre mousse,
À bord d'un vaisseau royal,
Je vais où le vent me pousse,
Tout cela m'est bien égal.

C'est au ciel que j'espère,
Y connaître un peu d'amour,
Là, je reverrai ma mère,
Là, ma mère attendra mon retour.

« Elle était si belle qu'on aurait dit un rêve qui prenait forme devant mes yeux. Mon cœur a fait deux tours puis j'ai commencé à suer comme un gars qui court le mara-thon. Elle me faisait signe de l'aider... de me jeter à l'eau pour aller la chercher ! Moi, je voyais bien qu'elle était prise dans mon filet, mais je pouvais juste la regarder. J'étais émerveillé... figé... Puis tout à coup, on dirait qu'elle s'est fatiguée de me voir la face longue pis la bouche ou-verte à rien faire, qu'elle a donné un bon coup de queue pour déchirer mon filet. Après ça, je l'ai vue disparaître dans les profondeurs. »

Marcel Breton, pêcheur, Marsoui en Gaspésie, 1986

Québec
Lévis

Saint-Isidore
Saint-Malachie

Sainte-Marie
Saint-Joseph-de-Beauce

East
Broughton
Beauceville
Saint-Prosper

Plessisville
Thetford
Mines
Saint-Georges

Princeville
Saint-Côme

Victoriaville
La Guadeloupe

Disraeli
États-Unis
d'Amérique

Asbestos

Windsor

S

La Beauce

LES SORCIERS DE LA BEAUCE

De tous les sorciers qui ont existé au Québec, ceux de la Beauce furent à coup sûr les plus puissants et les plus craints à travers le territoire. D'une capacité extraordinaire à soumettre les forces naturelles et surnaturelles à leurs volontés, ces autorités mystérieuses du monde de l'invisible seraient toujours à l'œuvre sur les berges de la rivière Chaudière. Capables de nuire aussi bien aux hommes qu'aux animaux ou aux récoltes, ils ont souvent été vus à la recherche de trésors cachés. Sorciers de père en fils, les Beaucerons ayant hérité de ce fantastique savoir pouvaient jeter

des sorts à quiconque intervenait dans leurs malicieuses affaires.

On raconte qu'un très grand sorcier de Saint-Côme se mettait au lit, le soir, en compagnie d'un serpent. Par magie, l'animal se transformait en un lingot d'or que l'homme n'avait plus qu'à recueillir sous son oreiller au lever du jour. D'autres, de Saint-Jules et de Saint-Joseph, manipulaient des crapauds afin de les transformer en pièces de monnaie.

Du côté de Saint-Théophile, des histoires rapportent qu'un célèbre sorcier utilisait des poules pour obtenir des faveurs. Pour cela, il maintenait la tête de l'oiseau sur une pierre et, à l'aide de son bec, y traçait à la craie blanche une description de l'objet de son désir. Il relâchait ensuite doucement la pression de sa main sur le cou de l'animal, qui demeurait immobile sur la grosse roche, comme hypnotisé par le rituel. Le temps que prenait la poule pour s'extirper de sa torpeur indiquait le nombre de jours, de semaines ou de mois nécessaires à la réalisation de ce vœu. On dit que c'est grâce à cette étrange cérémonie que le sorcier en question put épouser la plus belle fille de la Beauce.

Par ailleurs, on raconte qu'en 1943 un
t-Sévéri
te-c

Par ailleurs, on raconte qu'en 1943 un sorcier de Saint-Sévérin aurait, à l'insu du curé, glissé cinquante-deux cartes à jouer sous l'autel de l'église avant de s'assurer que ce dernier chanterait la messe juste au-dessus d'elles. Après quoi l'ensorceleur aurait eu recours à quelques formules magiques qui finalisèrent l'envoûtement du jeu, et il aurait ainsi obtenu cinquante-deux vœux, divisés en quatre sphères distinctes : le cœur pour l'amour, le pique pour la vengeance, le trèfle pour l'argent et le carreau pour la politique. Heureusement, ces vœux auraient été employés avec sagesse et parcimonie, ce qui évita sans doute de mettre le village sens dessus dessous.

Puis, à East Broughton, nombreux sont ceux qui ont affirmé avoir entendu parler de l'histoire de la petite bossue. Cette jeune femme avait réclamé l'intervention d'un sorcier afin qu'il la délivre de son handicap. L'homme accepta, et dès qu'il entra dans la maison de l'infirme, les images religieuses qui en ornaient l'intérieur se mirent à suinter ou à se détacher des murs.

À Beauceville, il était coutume de voir un homme traverser la rivière Chaudière à cheval sans que l'animal ou la voiture qu'il conduisait ne s'enfonçât dans l'eau. Ce célèbre sorcier arpentait aussi le rang de la Grand-Ligne et possédait la capacité de transporter les gens d'un endroit à un autre par ses pouvoirs.

Bien que les années aient effacé des mémoires un grand nombre d'exploits des sorciers de la Beauce, il n'en demeure pas moins que plusieurs de leurs héritiers vivent toujours dans cette région et qu'en secret ils pratiquent encore ces cérémonies occultes.

Le Mangeur d'automne
Strappe à rasoir, je te maudis,
Je t'ensorcelle, tablisbo, je te défleuris
toi jusqu'à la troisième génération.
Couenne d'enfer, sacari, sacara, bac à
tabi, blague à tabac,
Tu te souviendras de moi. »

On a retrouvé sous une latte de bois, dans une ferme près de Scotstown, une formule de sorcier pour jeter une malédiction :

« Mangeur d'automne
Strappe à rasoir, je te maudis,
Je t'ensorcelle, tablisbo,
Je te députrise jusqu'à la troisième génération.
Couenne d'enfer, sacari, sacara,
bac à tabi, blague à tabac,
Tu te souviendras de moi. »

La fleur de puissance du Diable

La fleur de puissance du Diable est une fougère tachetée noire qui pousse dans les forêts de la Beauce, entre le 25 juillet et le 1er août de chaque année. Au terme de sa croissance, cette étrange plante fleurit à minuit exactement et la floraison ne dure pas plus d'une heure. Or, cette fleur confère de grands pouvoirs aux sorciers qui savent la cueillir, et les plus habiles peuvent même la conserver des années durant. En effet, ce végétal permet d'entrer plus facilement en contact avec les forces des ténèbres afin de conclure des pactes, de demander des faveurs ou d'obtenir assistance. Apparemment, ses feuilles sont utiles dans de nombreuses préparations.

Baie-Saint-Paul

La Malbaie

Tadoussac

e-Rivi

Fleuve Saint-Laurent

Rivière-du-Loup

Trois-Pistoles

Rimouski

Le Bic

Saint-Fabien

île du massacre

Le Bic

L'ÎLE AU MASSACRE

Il est une île sur le fleuve Saint-Laurent, entre Le Bic et Saint-Fabien, où il est possible encore aujourd'hui d'entendre les chants et les roulements de tambours

de centaines d'Amérindiens micmacs et malécites qui furent jadis massacrés par les Iroquois.

Les légendes anciennes racontent qu'une centaine de familles provenant de ces deux communautés s'étaient donné rendez-vous sur l'île afin d'y célébrer une année de chasse particulièrement fructueuse. Elles furent alors attaquées par de sauvages Iroquois assoiffés de sang. Pour sauver leurs vies, les Micmacs et les Malécites coururent se réfugier dans une grotte profonde du centre de l'île. Malheureusement, l'ennemi les découvrit rapidement et ils furent massacrés jusqu'au dernier.

On sait que, du fond de cette grotte où reposent toujours les ossements des malheureuses victimes, des spectres émergent parfois. Ils errent autour de l'île dans l'espoir d'apercevoir un Iroquois et de se venger. Lors de ces sinistres manifestations, les curieux ont avantage à se tenir loin des côtes.

« On a souvent vu, au sein des nuits sombres, des fantômes armés de pâles flambeaux danser, avec des contorsions horribles sur les galets de la Baie. »

Joseph-Charles Taché

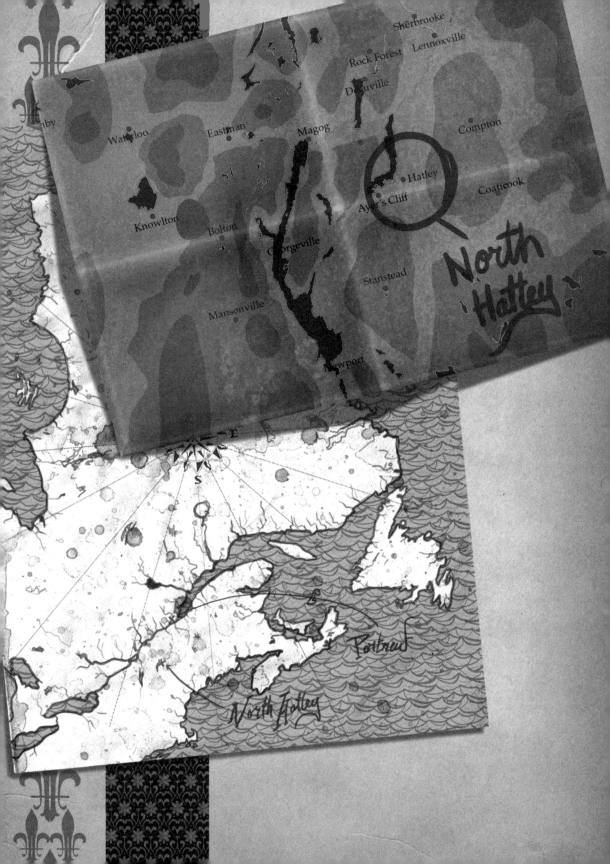

MARGUERITE LE BŒUF

Cette grosse femme de North Hatley était jadis connue en Estrie pour être une sorcière. De très grande taille, forte d'un bassin aussi large qu'un tonneau, elle traînait au bout de ses gros bras cuits par le soleil deux mains gercées dont les poings en avaient assommé plus d'un. Les yeux remplis de malice et la

bouche toujours pleine de jurons, elle portait hiver comme été sa sempiternelle chemise de toile bien échancrée et un ridicule jupon trop long. Pour finir, un énorme chapeau de paille était vissé sur sa tête. Mais le plus étonnant, c'est qu'elle était toujours accompagnée de son bœuf, qui la suivait pas à pas. Jamais on ne la croisait sans cet énorme animal à ses côtés.

Cette bête, qui valut à Marguerite le sobriquet de « Le Bœuf », était apparemment possédée par les forces des ténèbres. On a vu par exemple l'animal s'envelopper d'un nimbe de feu de la couleur du sang avant d'effectuer des danses païennes devant les maisons de ceux qui osaient se gausser de sa maîtresse. Cette démonstration déconcertante faisait à tous les coups s'enflammer les petits cèdres et les sapins, qui crépitaient encore longtemps après le passage du bœuf ensorcelé. On raconte même que la bête avait la capacité de mettre le feu à ses propres cornes lorsqu'elle se lançait à la poursuite d'un malveillant.

Un jour pourtant, Marguerite fut retrouvée mo___ la route de Saint-Basile dans ___ comté ___ Personne ne sait pourquoi el___

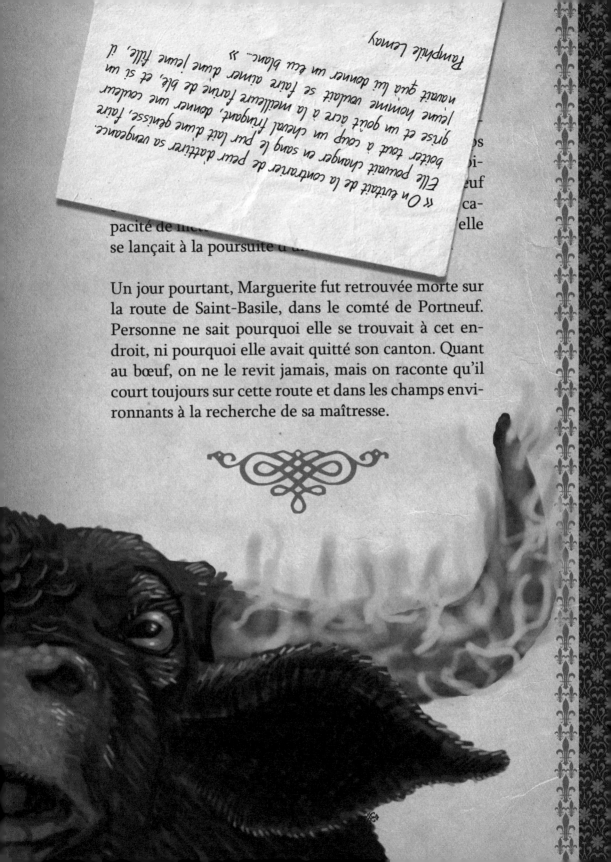

« On extrait de la contrarier de peur d'attirer sa vengeance.

Elle pouvait changer en sang le pur lait d'une génisse, faire boiter tout à coup un cheval fringant, donner une couleur grise et un goût âcre à la meilleure farine de blé, et si un jeune homme voulait se faire aimer d'une jeune fille, il n'avait qu'à lui donner un feu blanc. »

Pamphile Lemay

pacité de me...

se lançait à la poursuite d'a...

Un jour pourtant, Marguerite fut retrouvée morte sur la route de Saint-Basile, dans le comté de Portneuf. Personne ne sait pourquoi elle se trouvait à cet endroit, ni pourquoi elle avait quitté son canton. Quant au bœuf, on ne le revit jamais, mais on raconte qu'il court toujours sur cette route et dans les champs environnants à la recherche de sa maîtresse.

Fleuve Saint-Laurent

Les Méchins

Baie-Comeau

Fleuve Saint-Laurent

Ste-Anne-des-Monts

Les Méchins

Matane

Mont-Joli

Outikou

Addington

Baie des Chaleurs

Les Méchins

OUTIKOU
OU L'OGRE DES ÎLETS MÉCHINS

Les îlets Méchins, deux petits rochers situés à faible distance de la côte et séparés par un étroit chenal, seraient le repaire d'un ogre que les Malécites appelaient Outikou.

Le mot « Méchin » n'est que la corruption populaire du mot sauvage « Matsi » ou du nom français « méchant » qui sont, du reste, la traduction l'un de l'autre.

Lors de leur passage sur ces îlets, plusieurs voyageurs relevèrent de grandes traces de pas sur la plage. Réputé pour la puissance de son cri capable de tuer sur place le plus solide des hommes, l'ogre est apparemment bien réel et il est recommandé d'éviter ces lieux.

On dit que l'effroyable créature s'appuie dans ses déplacements sur un gigantesque tronc d'arbre en guise de canne. Un prêtre courageux qui aurait réussi à repousser les attaques du monstre a fabriqué jadis, dans l'un des gigantesques bâtons de marche du monstre, la croix chrétienne qui est toujours présente sur l'une des îles.

Les Robes noires du bas du fleuve

La plage en face forme une anse sablonneuse qui s'élève graduellement jusqu'au sommet d'une montagne. Nos voyageurs s'arrêtèrent en cet endroit. Malgré l'aspect invitant du local, le sauvage infidèle ne s'était arrêté là qu'à son corps défendant.

– Qu'a-t-il ? demanda le missionnaire au sauvage chrétien.

– Il a peur d'Outikou !

« Pauvre malheureux, se dit le missionnaire, il craint ce Géant fantastique et n'a point peur du véritable Géant de l'abîme. »

– Mais pourquoi a-t-il plus peur ici d'Outikou que partout ailleurs ?

– Outikou reste là, dans la montagne.

Ils renversèrent le canot sur ses pinces, firent un bon feu et causèrent en prenant le repas du soir. Le vent commençant à faire rage éteignit le feu, les laissant dans l'obscurité totale, ce qui vint augmenter les terreurs du sauvage infidèle. On fit la prière et chacun s'étendit sur le sable à l'abri du canot.

Histoires de missionnaires

On dormait sur le rivage, le vent et la pluie ayant cessé, quand tout à coup un cri de terreur vint tirer les voyageurs de leur sommeil. C'était le sauvage rebelle à sa conscience qui, se jetant aux pieds du missionnaire, criait de toutes ses forces :

– Le baptême, patliaîche, le baptême !

– Mais qu'as-tu donc ? demanda le père avec inquiétude.

– J'ai entendu le cri d'Outikou, et ce cri fait mourir !... Je l'ai vu descendre de la montagne ; grand grand comme les chickchaks... J'ai vu le bâton qui lui sert de soutien, c'est un grand pin sec arraché de sa propre main...

– Calme-toi, dit le père rassuré, car le malheureux infidèle étouffait.

Il avait senti le sauvage non baptisé... il est venu rôder autour du campement...

14

15

BIBLIOGRAPHIE

Dossier de presse sur le loup-garou dans l'histoire du Québec, dossier A-40, archives de folklore de l'Université Laval, anecdotes de l'Islêt, [S.l. _: s.n.]., 1920.

« Le Loup-garou à St Roch des Aulnaies et Kamouraska », *Bulletin des recherches historiques*, vol. 15, 1909, p. 224.

ASSELIN, Carole et Yves LACASSE, *Corpus de faits ethnographiques québécois (Région de la Mauricie)*, Québec, ministère du Loisir, de la Chasse et de la Pêche, 1982, p. 279 à 280, 282, 287 et 288.

BARRIAULT, Yvette, *Mythes et rites chez les Indiens Montagnais*, Société historique de la Côte-Nord, 1971.

BARING-GOULD, Sabine, *The Book of Werewolves : Being an Account of a Terrible Superstition*, New York, Causeway Books, 1973.

BEAUGRAND, Honoré, *La Chasse-galerie*, Montréal, Éditions CEC, 1996, p. 38 à 49.

BERNARD, Adrien, « Une histoire de loup-garou », *Revue d'histoire de la Gaspésie*, vol. IV, n° 3, Société historique de la Gaspésie, juil.-sept. 1966, p. 120.

BELLEMIN-NOËL, Jean, *Les Contes et leurs fantasmes*, Paris, PUF, coll. « Écriture », 1983.

BERTOLINO, Daniel, *Légendes indiennes du Canada*, Paris, Flammarion, 1982.

BOIVIN, Aurélien, *Le Conte littéraire québécois au XIXe siècle*, Montréal, Fides, 1975.

BOIVIN, Aurélien, *Les Meilleurs Contes fantastiques québécois du XIXe siècle*, Montréal, Fides, 1996.

Boréal-Express, vol. 1, n° 3, 15 mars 1963.

CHIASSON, Anselme, *Le Nain jaune*, Moncton, Éditions d'Acadie, 1995.

COLLECTIF, *Les Archives de folklore*, Montréal, Fides.

COLLECTIF sous la direction de Nicole Guilbault, *Contes et sortilèges des quatre coins du Québec*, Documentor inc., 1991, p. 72, 73.

CUSSON, François, *Légendes laurentiennes*, Montréal, Agence Duvernay, 1943, p. 61 à 70.

DESRUISSEAUX, Pierre, *Croyances et pratiques populaires au Canada français*, Montréal, Éditions du jour, 1973.

DU BERGER, Jean, *Introduction à la littérature orale*, Québec, Presses de l'Université Laval, 1971.

DUPONT, Jean-Claude, *Légendes de l'Amérique française*, Québec, Les éditions Dupont, 1992, p. 45.

DUPONT, Jean-Claude, *Légendes des villages*, Québec, Les éditions Dupont, 1993, p. 49.

DUPONT, Jean-Claude, *Légendes du St-Laurent I*, Québec, Les éditions Dupont, 1989, p. 11-12.

DUPONT, Jean-Claude, *Légendes du St-Laurent II*, Québec, Les éditions Dupont, 1993, p. 23.

DUPONT, Jean-Claude, *Le Légendaire de la Beauce*, Québec, Les éditions Dupont, 1974, p. 46 à 53.

DUPONT, Jean-Claude, *Légendes du cœur du Québec*, Québec, Les éditions Dupont, 1993, p. 23, 25 et 53.

DUPONT, Jean-Claude, *Les Trésors cachés*, Sainte-Foy, Éditions J.-C. Dupont, 1999, 180 p.

DUPONT, Jean-Claude et Jacques MATHIEU, *Héritage de la francophonie canadienne*, Québec, Presses de l'Université Laval, 1986.

DURAND-TULLOU, Adrienne, *Du chien au loup-garou dans le fantastique de Claude Seignolle*, Paris, G.-P. Maisonneuve, coll. «Documentaire de folklore de tous les pays», 1961.

COLLECTIF, *Les Métamorphoses*, Éditions Time-Life, coll. «Les mystères de l'inconnu», 1990.

EISLER, Robert, *Man Into Wolf: An Anthropological Interpretation of Sadism, Masochism and Lycanthropy*, Santa Barbara, Ross-Erikson, 1978.

FALARDEAU, Jean-Charles, DUMONT, Fernand et Yves MARTIN, *Imaginaire social et représentations collectives*, Québec, Presses de l'Université Laval, 1982.

FEDERN, Paul, *La Psychologie du moi et les psychoses*, Paris, PUF, 1979.

FRÉCHETTE, Louis, *Contes II – Masques et fantômes et les autres contes épars*, Montréal, Fides, 1976.

FOIX, Vincent, *Sorcières et loups-garous dans les Landes*, Éditions Ultreïa, 1988.

GAGNON, Jean, *Démons et merveilles*, Radio-Canada, 1984-1985.

GAUTHIER-CHASSÉ, Hélène, *À diable-vent : Légendaire du Bas St-Laurent et de la vallée de la Matapédia*, Montréal, Les Quinze Éd., 1981.

GOENS, Jean, *Loups-garous, vampires et autres monstres : Enquêtes médicales et littéraires*, Paris, Éditions du CNRS, coll. « Insolites de la science », 1993.

GOWETT, Larry, *Les Loups-garous dans la tradition religieuse québécoise*, Montréal, Presses de l'Université du Québec, 1978.

HAMELIN, Jean, *Économie et société en Nouvelle-France*, Québec, Presses de l'Université Laval.

JACOB, Paul, *Les Revenants de la Beauce*, Montréal, Éditions du Boréal, 1995.

JOLICŒUR, Catherine, *Le Vaisseau Fantôme*, Québec, Presses de l'Université Laval, 1970.

JONES, Ernest, *Le Cauchemar*, Paris, Payot, 1973.

JUNG, Carl Gustav, *Un mythe moderne*, Paris, Gallimard, 1961.

LANDRIAULT, Martine Marthe, « Rapports amoureux entre les hommes et les animaux dans la mythologie montagnaise », conférence prononcée à l'Université de Montréal, Département d'anthropologie, 1974.

LAROUCHE, Jean-Claude, *Alexis le Trotteur*, Chicoutimi, Éditions JCL, 1977.

LEBEL, Maurice, *Mythes anciens et drame moderne*, Montréal, Éditions Paulines, 1977.

LECOUTEUX, Claude, *Fées, sorcières et loups-garous au Moyen Âge*, Paris, éd. Imago, 1996.

MAUVAIS-JARVIS, P., MOWSZOWICZ, I. et F. KUTTENN, *Hirsutism*, New York, Springer-Verlag, 1981.

MEURGER, Michel et Claude GAGNON, *Monstres des lacs du Québec : Mythes et troublantes réalités*, Montréal, Stanké, 1982.

MOXET, Albert, *Ardenne et Bretagne, les sœurs lointaines*, Bruxelles, Pierre Madaga Éditeur, 1989.

ROY, P.-G., « Un loup-garou », *Bulletin des recherches historiques*. vol. 15, n° 7, 1909.

PARADIS, Alexandre, *Le Patrimoine légendaire du Kamouraska 1675-1948*, Kamouraska, rééd. Conseil de Fabrique de la paroisse, 1984.

PELLETIER, Jacques, *L'Écriture mythologique*, Québec, Nuit blanche, 1996.

PERREAULT, Pierre, « Discours sur la parole », *Culture vivante*, n° 1, 1966, p. 19-36.

PERRO, Bryan, *Contes cornus, légendes fourchues*, Shawinigan, Éditions des Glanures, 1997.

PROPP, Vladimir, *Morphologie du conte*, Paris, Seuil, coll. « Points », 1970.

PURKHARDT, Brigitte, *La Chasse-galerie, de la légende au mythe*, Montréal, XYZ éditeur, 1992.

RATHUS, Spencer A., *Psychologie générale*, Montréal, Éditions HRW ltée, 1985.

RONZEAUD, Pierre, « L'Irrationnel au XVIIe siècle », *Littératures classiques*, no 25, 1995.

SIROIS, Antoine, *Mythes et symboles dans la littérature québécoise*, Montréal, Triptyque, 1992.

VILLENEUVE, Roland, *Loups-garous et vampires : les amants de la mort*, Paris, Bordas, 1991.

Cet ouvrage a été composé en Sylfaen corps 13/8
et achevé d'imprimer sur les presses de
Quebecor World St-Romuald, Canada,
en octobre 2007.

Imprimé sur du papier Quebecor Enviro
100 % postconsommation, traité sans chlore,
accrédité Éco-Logo et fait à partir de biogaz.